Neckarland und obere Donau

The Neckar and Upper Danube

Le Neckar et le Danube Supérieur

DIE DEUTSCHEN LANDE *farbig*

Neckarland und obere Donau

The Neckar and Upper Danube

Le Neckar et le Danube Supérieur

EINLEITUNG: GERHARD STORZ

UMSCHAU VERLAG · FRANKFURT AM MAIN

Bilderläuterungen: Gerhard Roth

Übersetzungen: Englisch – Brian Morrison
Französisch – Gerhard Steinborn

Die landschaftliche und wirtschaftliche Verschiedenheit der beiden behandelten Gebiete wird wohl schon auf der raschen Durchreise auch heute noch sichtbar. Am Neckar zeigt sich hier die weite Talaue, mit Obstbäumen reich besetzt, dort treten Weinberghänge nah an den Fluß heran. Immer wieder eröffnen sich weite Prospekte auf dicht besiedeltes Land und auf die weichen, schön sich überschneidenden Konturen ferner Höhenzüge. Allenthalben werden aber auch Fabrikhallen, Gaskessel, Transport- und Umspannanlagen sichtbar. Denn zwischen Heilbronn und Stuttgart im Norden, zwischen Stuttgart und Tübingen im Südwesten ist das Neckarland zu einem Industrierevier geworden, glücklicherweise zu einem immerhin noch aufgelockerten. Wohl haben sich die Dörfer in die Landschaft hinein auseinander gezogen, auch Hochhäuserfronten sind in sie eingedrungen, aber zur End- und Luftlosigkeit von ineinander übergehenden Groß-

5 städten ist es doch nicht ge-

The economic and geographic differences which characterize these two regions of Western Germany are still quite evident today when one travels quickly through the country. Along the River Neckar, for instance, we find wide valleys with meadows, abundant orchards, and occasionally vineyards reach down to the banks of the river itself. Every now and then, however, stretches of densely populated land also catch the eye in the distance and, as an even more remote background, the gentle undulating contours of hills are just visible. Practically everywhere there are factory buildings, gasometers and overhead power lines. Indeed, between Heilbronn and Stuttgart in the north and between Stuttgart and Tübingen in the southwest, the Neckar valley has become an industrial region, fortunately one in which there are still some spaces in between. True, the villages have expanded out into the countryside, but they do not join up to form endless conurbations. Although industry has gath-

La multiplicité des paysages et des activités économiques des deux régions traitées dans notre exposé se fait voir encore aujourd'hui et le voyageur en est frappé. Auprès du Neckar on se trouve dans une vallée douce et féconde riche en vergers et en coteaux plantés de vignes qui descendent jusqu'au fleuve. En voyageant les perspectives changent – et du haut des collines on a une magnifique vue panoramique sur le pays, sur les villages et sur les champs jusqu'aux montagnes lointaines. Partout on remarque aussi des usines, des gazomètres et des commutateurs. Car entre Heilbronn et Stuttgart au Nord et entre Stuttgart et Tübingen au Sud-ouest le pays du Neckar est en même temps devenu une région industrielle, heureusement pas trop compacte. Les villages agrandis se répandent dans le paysage avec des maisons de type gratte-ciel éparpillées çà et là, les villes pénètrent le pays, mais ce n'est pas une agglomération de grandes villes industrielles sans limites (comme par exemple

kommen. Vermochte sich doch innerhalb der industriellen Massierung um Stuttgart die Stadt Eßlingen als immer noch kenntliche Reichsstadt, ehrwürdig und anmutig zugleich, zu behaupten.

Anders das Land um die obere Donau: gleich hinter ihrem verborgenen Ursprung wird sie von Norden her durch die letzten Höhenzüge des Schwarzwalds, später dann durch den noch näher an sie heranrückenden Steilabfall der Schwäbischen Alb bedrängt. Ihre Juraberge begleiten sie auf ihrem Nordufer bis kurz vor Ulm, ja zwischen Tuttlingen und Sigmaringen hat sich die Donau, am Kloster Beuron vorbei, durch die letzten Jurawände durchgraben müssen. Nach Sigmaringen öffnet sich ihr Südufer zu oberschwäbischer Weite: Talenge zuerst, dann die Schilfregion des Riedgeländes, dahinter die fruchtbaren Ackerbreiten von Oberschwaben. Erst dort, weit entfernt von der Donau, trifft man auf bedeutendere

ered chiefly around Stuttgart, the old town of Esslingen, still in its recognizable role of "Reichsstadt", has been able to uphold its position with dignity and charm.

The situation around the Upper Danube is different by comparison. Soon after leaving its concealed source, the Danube has to make its tortuous way from the north through the last spurs of the Black Forest mountains and then later through the even narrower gorges of the steep Swabian mountain meadows. The Jura range of mountains accompanies the Danube almost as far as Ulm. In fact, between Tuttlingen and Sigmaringen it has to carve its way, in the neighbourhood of the Beuron Monastery, through the final cliffs of the Jura.

After Sigmaringen, its southern bank opens up into the Upper Swabian plain. At first, the valley is narrow, then follows the marshy region known as the "Ried", and later comes the fertile, arable land of Upper Swabia. It is only here, quite a distance away

dans la région de la Ruhr). L'ancienne ville libre impériale Esslingen non loin de Stuttgart existe encore pleine de fierté aimable et vénérable.

La région du Danube Supérieur (qui est notre deuxième sujet) a un caractère tout différent : non loin de sa source cachée le Danube est serré au Nord par les derniers montagnes de la Forêt-Noire, puis encore plus étroitement par le Jura Souabe, dont les monts tombent à pic. Les montagnes du Jura et les parois des rochers sont voisins de la rive nord jusqu'aux environs de l'ancienne et pittoresque ville Ulm. Entre Tuttlingen et Sigmaringen le Danube a du percer les parois des rochers des derniers monts jurassiques. Aval de Sigmaringen la vallée de la Souabe Supérieure est épaisse (surtout auprès du rivage sud) : Après la vallée étroite on arrive maintenant à la région des roseaux et des joncs du « Ried », puis aux terres fécondes de la Souabe Supérieure. Et puis très éloigné du Danube se trouve une autre région industrielle,

6

Industrie in Biberach, vor allem in Ravensburg und Weingarten. Um so zahlreicher und verschiedenartiger sind eindrucksvolle Landschaftsbilder, reizvolle Kleinstädte wie Riedlingen, Munderkingen, Ehingen, das hochherrschaftliche Sigmaringen nicht zu vergessen, und welche Menge schöner Sakralbauten gibt es im Donauland – Kirchen, meist von barocker Prägung, Klosterniederlassungen wie Obermarchtal, Blaubeuren und das prächtige Zwiefalten. Auch an Burgen fehlt es nicht: im Donaudurchbruch die von Wildenstein und Werenwag, weiter unten, ostwärts kommen schloßartige Adelssitze dazu, Dischingen, Erbach, und vom Fluß etwas entfernt, Mittelbiberach, dann Warthausen, der Musenhof des Grafen Stadion, in welchem der junge Wieland ein und aus ging. Noch weiter weg, schon am Eingang zum Allgäu, thronen die Fürstenresidenzen von Waldburg-Zeil, Kießlegg und Quadt-Isny. Als ältere und als neuere Region, als Bauernland und als Industriege-

from the Danube, that one comes across industry of any real proportions in, for example, Biberach or, above all, in Ravensburg and Weingarten. Nevertheless, there are countless impressive landscapes of a varying nature as well as attractive small towns such as Riedlingen, Munderkingen, Ehingen and stately Sigmaringen. Furthermore, a great number of sacred edifices is to be found in the Upper Danube region. These include churches, mostly of Baroque design, monasteries and cloisters – such as those at Obermarchtal, Blaubeuren or Zwiefalten. The latter are particularly imposing. There is also no lack of castles. At the "Donaudurchbruch" we find the Wildenstein and Werenwag castles, and then further down the river to the east fortress-like homes of the nobility are to be seen at Dischingen, Erbach and Mittelbiberach which is some distance from the river. There follows Warthausen, the "Musenhof" of Count Sta-

dont les centres sont Biberach, (et avant tout) Ravensburg et Weingarten. Le paysage est d'une multiplicité étonnante : On y admire de petites villes aimables et pittoresques : Riedlingen, Munderkingen, Ehingen et n'oubliez pas Sigmaringen, la ville seigneuriale. Et combien d'églises avec gros-œuvre on y trouve ! – la plupart en style baroque, des cloîtres célèbres et vénérables : Obermarchtal, Blaubeuren et le magnifique Zwiefalten. Il n'y manque pas de châteaux forts : auprès de la percée du Danube les forteresses Wildenstein et Werenwag dans un site incomparable – et en aval, plus à l'est on trouve les châteaux fortifiés Dischingen, Erbach et (un peu éloigné du fleuve) Mittelbiberach, puis Warthausen, la cour du comte Stadion, un centre intellectuel et artistique important, où le jeune Wieland était hôte. Encore plus éloigné, près de la montagne Allgäu, les résidences des princes Waldburg-Zeil, Kießlegg et Quadt-Isny dominent le pays.
Les différences des deux

biet – so stehen sich, in raschem Überblick betrachtet, auch heute noch Donaugebiet und Neckarland gegenüber.

Weit größer erschien ihre Verschiedenheit zu Beginn des Jahrhunderts, in meiner Kinderzeit und wohl doch nicht nur in der kindlichen Perspektive: welche Fremde umgab uns in dem Dorf oberhalb von Esslingen, nachdem die Familie das unmittelbar an der Donau gelegene – eine evangelische Enklave zwischen Munderkingen und Ehingen – auf immer verlassen hatte. Wohl sprachen auch die Leute auf der fruchtbaren Hochebene über dem Neckartal, den Fildern, keineswegs Hochdeutsch, sondern Schwäbisch, aber in einem anderen Tonfall, in einer so anderen Lautung, teilweise auch mit anderen Wörtern, als wir Kinder es vom Donauland her gewohnt waren. Denn dort kommt das Schwäbische näher an das Alemannische heran. Auch in der neuen Heimat wohnten wir unter

dion, where the young writer Wieland came and went as he pleased. Even further to the east, almost on the fringe of the Allgäu, the Prince's residences of Waldburg-Zeil, Kiesslegg and Quadt-Isny are worth mentioning. As an older and a newer region, as an agricultural land and an industrial area, is how one might compare the Danube and the Neckar districts at a glance today.

The diversity was, understandably, much more apparent at the beginning of the century. This can hardly be attributed to the perspectives of a child, as I then was. I can well remember the unfamiliar air which surrounded us in the village above Esslingen after the family had left the little Protestant enclave between Munderkingen and Ehingen directly on the banks of the Danube. Although the people on the fertile plateau above the Neckar valley also spoke, by no means, "High-German", it was quite a different Swabian dialect, with different intonation and word usage, to that which

pays sont évidents : il y a une région ancienne et une nouvelle, un pays rural et une région industrielle, voilà l'aspect de la région du Danube et de celle du Neckar, que l'on embrasse d'un coup d'œil.

Les différences étaient beaucoup plus grandes au commencement du siècle, pendant mon enfance, et j'en suis sûr, que ce n'était pas seulement la perspective d'un enfant : Tout me semblait étranger dans ce village non loin de la ville Esslingen, après que ma famille avait laissé notre région de naissance auprès du Danube – une enclave protestante entre Munderkingen et Ehingen. Les gens de la région Fildern, un plateau fertile dominant la vallée du Neckar, maintenant nos voisins, ne parlaient pas du tout le haut-allemand, il parlaient comme nous le dialecte souabe, mais d'une intonation, à laquelle nous n'étions pas habitués avec des mots que nous (les enfants du pays du Danube) ne connaissaient pas. Car le dialecte souabe s'y rapproche du dialecte des Alemans. Dans 8

Bauern, aber die meisten waren es nur noch teilweise: Früh am Morgen verließen die jüngeren das Dorf und kehrten erst gegen Abend zurück. Sie arbeiteten drunten, in den Fabriken von Esslingen. Die Landwirtschaft wurde von den Alten, von den größeren Kindern und von den Frauen besorgt; im Sommer aber nahmen die jüngeren Männer, kaum von der Fabrikarbeit zurückgekehrt, die Sense zur Hand und mähten am Abend noch eine Wiesenbreite ab. Das war ein anderer Schlag als die gemächlicheren Menschen im Donaudorf, „schaffig und umtriebig", wie unser Vater anerkennend bemerkte, und sparsam dazu: die jungen Ehepaare, die nicht im Elternhaus wohnen konnten, saßen schon vor 1914 allermeist in einem neuen, kleinen, aber eigenen Haus, das sie sich auf einem Grundstück des Vaters oder des Schwiegervaters mit gespartem Geld, teilweise eigener Arbeitsleistung und einem Kredit der Landessparkasse gebaut hatten. In

9   diesen neuen Häusern gab

we had learnt as children in the Danube region. Here the Swabian dialect was more akin to Alemannian. Also in our new home we found ourselves amongst peasants but most of them spent only part of the time working on their land. In the morning the younger members of a family would leave the village and only return in the evening. They worked down below in the valley, in the factories of Esslingen. The farming was done by the older generation, the children and the women. In summer, however, when the younger men returned from the factories in the late afternoon, it was not unusual to see them take a scythe to hand and cut a few breadths through the meadow before sundown. This was another sort of person, more "diligent and busy" than the easy-going neighbours in the Danube village, as our father remarked with some approval. They were thrifty, too, for the young couples who could not live in their parents' house had often managed to save up enough money for a new

notre nouvelle patrie nous vivions (ainsi que dans notre ancien village) dans un milieu rural, mais la plupart des habitants ne travaillait qu'en partie sur leurs fermes : De bonne heure le matin les jeunes hommes quittaient le village, pour travailler dans les usines de la ville Esslingen, et ils retournaient le soir. Le travail sur les champs restait aux vieux, aux femmes et aux enfants assez grands. Pendant l'été les jeunes hommes retournés chez eux prenaient la faux et fauchaient le soir une partie du pré. C'était une autre race que les hommes de notre village du Danube vivant dans l'aisance, plus active, agile et assidue, disait mon père en louant nos voisins ; et ils étaient aussi économes, les jeunes couples, qui n'habitaient pas dans la maison de leurs parents, avaient déjà avant 1914 souvent leur maison à eux, une petite maison nouvelle, qu'ils avaient bâti sur le terrain du père ou du beau-père moyennant la monnaie épargnée, un crédit de la caisse d'épargne et en travaillant eux-mêmes

es wie in den älteren Stall und Scheune, aber nicht die dämmerige Webstube im Untergeschoß, in der wir an der Donau unserem Nachbar bei der so interessanten Hantierung zugesehen hatten. Denn damals noch wurden die Kleinbauern an der oberen Donau, wenn der Winter anfing, zu Webern. Im Neckarland war eben alles anders und nicht nur wir Kinder verspürten seine Fremde, sondern schon vor uns mußte es sogar erwachsenen Menschen so gegangen sein. Denn es gab da ein Lied, das strophenweise die Lieblichkeit des Unterlandes – so sagte man statt „Neckarland" – auf Kosten des angeblich kargen Landes an der Donau, des „Oberlandes", herzbewegend herausstrich. Das rührselige Lied ist heute vergessen, damals wurde es gesungen, wann immer der Mostkrug umging und man bei Laune war. Der Most aus Äpfeln und Birnen war nämlich damals, könnte man sagen, das Bier der Unterländer.

but small house of their own – even before 1914. This would be built, perhaps through their own labour and a loan from the local building society, on a plot of land belonging to the father or father-in-law. There was a stable and barn in these new houses, just as in the older farmhouses, but there was no dim weaving room on the ground floor, such as the one in which we watched our Danube neighbour at work. In those years, namely, the small farmers in the Upper Danube region would turn to weaving when the winter came. Along the Neckar everything was different, and not only we children felt the alien atmosphere but, obviously, the older generations as well, since there was a song which praised the charm and gentleness of the "lowlands" (which was another term for the "Neckarland"), comparing it to the allegedly sterile soil of the Danube land. This stirring song has now been forgotten, but in those days it was sung as the cider jug went round the table and spirits were

sur le terrain à bâtir. Dans ces maisons nouvelles on trouvait (ainsi que dans les anciennes) les étables et la grange mais pas une chambre sombre de tisserand dans le rez-de-chaussée, que nous connaissions de nos anciens voisins du pays du Danube et où nous avions vu tant de choses intéressantes. Car pendant mon enfance les paysans pauvres du Danube Supérieur étaient des tisserands pendant l'hiver. Dans le pays du Neckar tout était autre et ce n'était pas seulement l'impression des enfants d'être dans l'étranger, mais aussi les adultes pensaient pareillement. La diffèrence des deux parties de notre patrie Souabe avait inspiré une chanson populaire, qui louait la tendresse du « Pays Inférieur » (une expression désignant le pays du Neckar) et regrettait le pauvre « Pays Supérieur » (c'est à dire le pays du Danube). Cette chanson larmoyante est aujourd'hui presque oubliée. Pendant mon enfance on la chantait toujours quand le cidre fut bu. On pourrait dire, que le cidre des pommes et des

Jenes Lied tat auch an uns seine Wirkung, aber in der verkehrten Richtung: wohl mußten wir beim Mitsingen mit aufsteigenden Tränen kämpfen, aber sie galten – nicht anders als ein andermal unser trotziges Schweigen – dem in dem Lied so schmählich heruntergesetzten Oberland.

So gar lang dauerte es freilich nicht, bis wir das Filderschwäbisch angenommen und erst im Dorf, dann drunten in der Stadt gute Kameraden gefunden hatten. Dorthin marschierten wir zur Schule und jedesmal war die mächtige, aus Quadern gemauerte Neckarbrücke zu passieren. In den Ferien lockte die Schwäbische Alb, die als blaues Band unseren Filderhorizont säumte. Die kurze Bahnfahrt bis zum Fuß der Alb-Berge, der längere Aufstieg bald zur Teck, bald zum Neufen, manchmal auch zu den Uracher Felsen lohnten sich wahrhaftig: wie weit sah man vom Albrand hinaus ins prächtige, längst vertraut gewordene Neckarland. Von seiner Fruchtbarkeit hoben sich die über

high. The cider or perry, made of apples or pears, was the "beer" of the lowlanders. Now this ballad may also have had an effect on us, but it was in quite another direction. As we were obliged to sing the verses, we tried to suppress the swelling tears it inevitably gave rise to: we were thinking of the "Upper Land" which came off so poorly in the song.

It did not take all that long, however, before we had acquired the local dialect and were accepted in the village and even found good comrades in the town below. This is where we marched to school, crossing over the mighty Neckar Bridge hewn from huge blocks of stone. In the holidays we liked to go up to the Schwäbische Alb, the mountain meadows which fringed our little world. The short train journey to the foot of the mountains, the long climb up to Teck, sometimes to Neufen or perhaps to the Urach Rocks was most rewarding, indeed. From the highest

poires était l'équivalent de la bière pour les paysans du « Pays Inférieur ». Cette chanson était très impressionnante aussi pour nous – mais dans un sens contraire. Car c'était notre patrie ce « Pays Supérieur » que l'on discréditait – et si il ne nous était pas possible de nous taire mutins, il nous était à peine possible de cacher nos larmes.

Mais il ne durait pas longtemps jusqu'à ce que nous parlions le dialecte de la région Fildern et que nous avions trouvé des camarades d'abord dans le village et puis dans la ville, où nous allions à l'école en passant chaque fois le puissant pont bâti de pierres de taille sur le Neckar. Pendant nos vacances notre but d'excursions le plus fréquenté était le Jura Souabe (Schwäbische Alb), qui était la limite de notre connaissance du monde. Le petit voyage de chemin de fer jusqu'au pied des montagnes (nommés Alb) et la montée lente au sommet Teck ou au mont Neufen, parfois au rocher d'Urach valait bien la peine : On y avait une magnifique vue

und über mit Kalkstein-brocken gesprenkelten Äk-ker auf der Albhochfläche eindrucksvoll ab: was muß-ten das zähe, hartschlägige Menschen sein, die hier oben unverdrossen pflüg-ten, säten und den dünn, auf kurzen Halmen stehen-den Dinkel oder Roggen ernteten.

Später, wir waren jetzt beim Wandervogel, führten uns seltene, längere Fahr-ten zur oberen Donau. Aus-gangs- oder Endpunkte wa-ren Tuttlingen oder Sigma-ringen oder Ulm. Aber jetzt war es das Oberland, das in eine insgeheim bängliche, aber zugleich lockende Fremde gerückt war. Auf dem Wanderweg begegnete man hochragenden Kreu-zen, an ihrem Fuß recht le-bensnah die schrecklichen Marterwerkzeuge. An Feld-kapellen kam man vorbei, in denen lebensgroß und in verzückter Verrenkung Hei-ligengestalten standen. In den Kirchen, in die man der Kunst wegen eingetre-ten war, traf man bisweilen

summer mountain pastures it was possible to see far in-to the Neckarland which had now become so famil-iar to us. In contrast to the fertile plain below, the higher ploughed fields were impressively littered with large blocks of limestone. What tough, dogged people these mountain peasants must have been who assidu-ously ploughed, sowed and then harvested the paltry spelt and rye standing on short stems.

Later on, when we had joined the youth move-ment, we occasionally made longer trips to the Upper Danube. The final destinations were Tuttling-en, Sigmaringen or Ulm. But now it was the upper reaches of the Danube, the "Oberland", which caused us anxiety, but exerted, at the same time, the secret enticement of the un-known. On our wanderings we came across tall cruci-fixes with dreadful, life-like instruments of torture at the foot. In the fields we passed chapels in which full-size martyrs stood in all manner of contortions. In the churches, which we had

panoramique des sommets et des parois de rochers sur le pittoresque pays du Nek-kar, que l'on connaissait déjà à fond. On voyait bien la différence entre la vallée douce et féconde du Nek-kar et le plateau de l'Alb avec ses champs semés de pierres calcaires. On y avait l'impression : Voilà une race dure et opiniâtre qui travaille sur ces champs cri-blés de pierres où la mois-son de blé et de seigle est pauvre.

Plus tard, membres de la société des voyageurs à pied « Wandervogel » il nous était possible de faire rarement des excursions à une plus grande distance au Danube Supérieur. Point de départ ou but de nos excur-sions étaient les villes Tutt-lingen, Sigmaringen ou Ulm. Mais après tant d'an-nées notre ancienne patrie (le « Pays Supérieur ») était devenu un pays étranger pour nous, qui nous attirait et épouvantait en même temps. Auprès de nos che-mins nous avons souvent trouvé des croix qui s'éle-vaient aux carrefours et au-dessous de ces croix nous avons vu des ins-

auf eine fremde, aber berückende Weise des Gottesdienstes. Aus der durchaus protestantischen, nüchternen Welt des Neckarlandes waren wir in die katholische des Donaulandes eingetreten und erfuhren, was uns dort im Kindesalter noch nicht erreicht hatte – die von der alten Kirche ausstrahlende Faszination. In diesen persönlichen Eindrücken während der ersten Jahrzehnte unseres Jahrhunderts wirkte ein allgemeiner Sachverhalt nach, ein historischer, der zur verschiedenartigen Ausprägung der Landschaften um den Neckar und um die Donau wesentlich beigetragen hat. Beide Regionen zusammen machten ehemals das Königreich Württemberg aus. Indessen das dem Königreich bis 1803 vorangehende Herzogtum hatte sich noch so ziemlich auf das Neckarland, auf den Nordrand der Schwäbischen Alb und einen Teil der Albhochfläche beschränkt. Im Westen erreicht es mit den Hauptorten Calw und Freudenstadt gerade noch den Schwarzwald. Im Osten war es

entered for the sake of the art objects, we sometimes came across divine service, a strange but enchanting experience. We had crossed over from the sober, Protestant world of the Neckar into the Catholic region of the Donau and became aware of something which had not reached us as children: the fascination emanating from the old Church.

These personal impressions gathered in the first few decades of this century were influenced by a certain ubiquitious, historical state of affairs which continued to lend a different character to the countryside in the Neckar and to that in the Danube region. Both parts together made up the former Kingdom of Wurtemberg. Prior to the Kingdom, that is up until 1803, the Duchy had restricted its interests almost entirely to the "Neckarland", the northern border of the Swabian Mountains and part of the higher-lying plateau. In a westerly direction

truments terribles de martyre. Dans les chapelles au milieu des champs nous avons admiré les sculptures des saints de grandeur naturelle et en extase fougeuse. Dans les églises, que nous avons visité pour admirer les chefs-d'œuvre de l'art, nous étions parfois témoins d'un culte qui nous paraissait étranger mais fascinant. Nous étions venus du monde protestant sobre et raisonnable – du pays du Neckar – dans le monde catholique du pays du Danube et nous y étions impressionnés par la splendeur – la fascination de l'ancienne église, dont nous n'avions rien su pendant notre enfance.

Ces impressions personelles des premières dizaines d'années de notre siècle sont typiques pour une situation historique, qui était la cause de maintes différences des deux parties de notre pays – de la région du Neckar et de la région du Danube – dont le royaume de Wurtemberg se composait.

Le duché de Wurtemberg précédant le royaume jusqu'à l'année 1803 compre-

durch die Gebiete der Reichsstädte Schwäbisch Gmünd, Aalen, Ulm und der Stiftspropstei Ellwangen begrenzt. Der fränkisch sprechende Nordosten gehörte den Hohenloher Fürsten und der Reichsstadt Schwäbisch Hall. An die Donau reichte also das Herzogtum Württemberg nirgends. Stellen sich doch Südwesten und Süden auf alten Landkarten als bunter Fleckenteppich dar: vorderösterreichische und reichsstädtische Gebiete, klösterlicher und standesherrlicher Besitz lagen neben- und durcheinander. Das herzogliche Württemberg war denn ein recht kleines Land, aber nach Stamm, Sprache und – nicht zuletzt – nach Konfession eine Einheit, eine ebenso durchaus evangelische wie neckarschwäbische Einheit. Diese wurde straff zentralistisch von Stuttgart aus verwaltet. Der erste Herzog, Eberhard im Bart, der Gründer der Landesuniversität Tübingen, hatte, noch im Spätmittelalter, seine Souverä-

it reached the main towns of Calw and Freudenstadt and, just and no more, the Black Forest. Towards the east, it was bounded by the "Reich towns" of Schwäbisch Gmünd, Aalen, Ulm and the Provostship of Ellwangen. The Frankish-speaking north eastern part belonged to the Hohenloh Princes and the city of Schwäbisch Hall. The Dutchy of Wurtemberg therefore did not reach as far as the Danube. On old maps, the south and south western part of the country was like a patchwork quilt: outlying districts of Austria and "Reichstadt" territories, monastic and baronial properties lay side by side. The Dutchy of Wurtemberg was, indeed, a small land but, from the point of view of speech and confession, it represented a unit, likewise a through and through Protestant and Neckar-Swabian unit. This was governed in a strictly centralistic manner from Stuttgart. The first duke, Eberhard im Bart, who was the founder of the State university in Tübingen, shared his sovereignty with the Church and

nait seulement le pays du Neckar, la partie nord du Jura Souabe et une partie du plateau Souabe. Dans l'ouest la frontière du duché se trouvait dans la Forêt-Noire non loin des villes importantes Calw et Freudenstadt. Dans l'Est les propriétés des villes libres impériales Schwäbisch Gmünd, Aalen, Ulm et de la fondation Ellwangen limitaient le duché de Wurtemberg. Le Nord-est de la région du Neckar, où l'on parlait le dialecte franconien faisait partie des territoires des ducs de Hohenlohe et de la ville libre impériale Schwäbisch Hall. Le duché de Wurtemberg était assez éloigné du Danube. Imaginez-vous l'ancien Sud-ouest de l'Allemagne sur les anciennes cartes géographiques : un ravandage d'Etats indiqué par une multitude de couleurs nationales : des pays qui étaient possessions autrichiennes et de villes libres, des possessions de cloîtres et de seigneurs, les uns vis-à-vis les autres et pêle-mêle. Le duché de Wurtemberg était un assez petit Etat, mais ce qui était plus im-

nität mit der Kirche und der Bürgerschaft seiner Landstädte geteilt. Nach der Einführung der Reformation wurde auch die Kirche zum Landesinstitut, und so stand fortan dem Herzog „die Landschaft" gegenüber: so nannte sich das Ständeparlament der Prälaten und der stadtbürgerlichen Honoratioren. Der Adel war seltsamerweise eigenem Verzicht zufolge an dieser ständischen Verfassung so wenig beteiligt wie die Bauernschaft. Einheitlichkeit und Eigenständigkeit nicht nur des Territoriums, sondern auch der Mentalität von Klein- oder Altwürttemberg wurden durch eine gleichfalls zentrale Einrichtung von ebenfalls bürgerlichem Charakter gefördert: die Lateinschulen der überwiegend sehr kleinen Landstädte wie beispielsweise Leonberg, Herrenberg, Nürtingen schickten jedes Jahr ihre besseren Schüler zum württembergischen „concours central", dem „Landexamen". Wer es innerhalb der ersten 30 Prüflinge bestanden hatte, der wurde in eines der aus ehe-

the citizens, even in the late Middle Ages. After the introduction of the Reformation, the Church also became a State Institute and so the duke found himself confronted by the "Landschaft", as the parliament of prelates and honorary citizens was called. Strangely enough, the aristocracy was, of its own will, as little concerned with this constitution, relating to the states of the realm, as the peasantry.
Uniformity and autonomy were fostered not only with respect to the territory but also the minds of the citizens in Old Wurtemberg were trimmed by a likewise central authority. The grammar schools in the, mainly, very small towns such as Leonberg, Herrenberg and Nürtingen were obliged, namely, to send their best pupils each year to the Wurtemberg "Concours Central" to take their "State Examination".
Thirty of the candidates with the best marks would be sent to one of the semi-

portant c'était une unité de tribu, de langue et surtout de confession, une unité de protestants souabes du Neckar, qui était administrée rigidement – dont le centre politique et économique était la ville Stuttgart. Le premier duc, le légendaire Eberhard « avec la barbe » (glorifié dans un poème populaire), le fondateur de l'université de l'Etat à Tübingen, avait partagé sa souveraineté avec le clergé et avec la bourgeoisie de ses villes. (C'était pendant le Moyen-Age finissant.) Après la réformation le clergé devenait aussi une institution nationale – et le duc gouvernait dès lors le pays conjointement avec le parlement des états provinciaux (nommé « Landschaft »), c'est-à-dire avec les prélats et avec les patriciens (les bourgeois aisés). La noblesse renonçait singulièrement à participer à ce parlement, les paysans n'y étaient pas admis. L'unité et la particularité non seulement du territoire mais aussi de la mentalité des habitants de l'ancien Wurtemberg (Petit Wurtemberg) étaient enco-

maligen Klöstern entwik-
kelten Seminare, – zuerst in
Maulbronn oder Schöntal,
zwei Jahre später in Blaubeuren oder Urach – aufgenommen, dann schließlich
in das mit der Landesuni-
versität verbundene Tübinger Stift. Bis zum Abschluß
des Universitätsstudiums,
etwa vom 14. bis zum 24.
Lebensjahr, war man also
Staatsstipendiat und dies in
vollem Umfang. Die Ausle-
se orientierte sich allein am
geistigen Leistungsvermö-
gen und am Betragen; Her-
kunft und Vermögenslage
blieben außer Betracht. So
bot denn der Weg durch
die Seminare und das Stift
bereits ab der zweiten Hälfte des 16. Jahrhunderts
nicht nur Söhnen der
schwäbischen Honoratio-
ren, sondern auch von
Handwerkern die Möglich-
keit zu akademischer Aus-
bildung und sozialem Auf-
stieg. Nicht nur Hölderlin,
Hegel, Schelling und Mörike sind diesen Weg gegan-
gen, sondern eine große

nars which had developed
out of the former monasteries, first to Maulbronn or
Schöntal, two years later to
Blaubeuren or Urach and
then finally to the "Tübinger Stift" which was asso-
ciated with the State University. Thus until the end
of their university studies,
that is from about the 14th
to the 24th year, these privi-
leged pupils received the
full benefits of a state scholarship. The selection was
based entirely on academic
performance and conduct.
Birth or property were not
taken into consideration. It
was thus possible, as early
as the second half of the
16th century, for the sons
of craftsmen as well as of
dignitaries to obtain an
academic education and
climb up the social ladder.
Hölderlin, Hegel, Schelling
and Mörike all trod this
path, but other less famous
people, such as many diligent clergymen, were also
able to benefit from this educational institution.
Its founder was the Duke
Christoph who took this
step in order to overcome a
political catastrophe. His
predecessor and father, the

re augmentées par une institution centrale de caractère bourgeois : les écoles de
latin des petites villes par
exemple Leonberg, Herren-
berg et Nürtingen envoyai-
ent chaque année les meilleurs écoliers au « concours
central » (« Landex-
amen »). Celui qui était
parmi les premiers 30 can-
didats était accepté aux séminaires, nés des écoles des
cloîtres – d'abord à Maulbronn, deux années plus
tard à Blaubeuren ou à
Urach, enfin dans la fondation de Tübingen, qui faisait partie de l'université de
l'Etat. Jusqu'à la fin de ses
études (à peu près du
14ème jusqu'au
24ème an) on était boursier
de l'Etat, la bourse payait
tous les besoins. La sélec-
tion des étudiants s'orien-
tait seulement aux facultés
de l'esprit et à la conduite.
La naissance et la situation
de fortune n'interessaient
guère. A cause de ce princi-
pe la fondation ne donnait
pas seulement aux fils des
bourgeois aisés de la Souabe mais aussi à ceux des ar-
tisans la possibilité de com-
mencer une carrière acadé-
mique et elle faisait possi-

Zahl von unberühmten, aber tüchtigen Landpfarrern, und gerade um diese war es dieser Bildungseinrichtung zu tun.

Ihr Begründer war der Herzog Christoph, dem die Aufgabe zufiel, die Folgen einer politischen Katastrophe zu überwinden. Denn sein Vorgänger und Vater, Herzog Ulrich, war seiner despotischen Exzesse wegen mit der Reichsacht belegt und durch eine Reichsexekution abgesetzt und aus dem Land getrieben worden. Fünfzehn Jahre lang hatte dann Württemberg unter habsburgischer Mandatsverwaltung gestanden, und auch späterhin blieb die Wiener Hofburg an dem kleinen Land sehr interessiert. Eignete es sich doch so vortrefflich als Brücke zwischen dem vorderösterreichischen Erbland im Breisgau und dem österreichischen Streubesitz entlang dem Oberlauf von Neckar und Donau. Die immer noch drohende, im Dreißigjährigen Krieg sogar noch einmal praktizierte Einverleibung in den habsburgischen Staatsverband hätte aber die Reka-

Duke Ulrich, had been put under the ban of the Empire and obliged to flee the country on account of his despotic excesses. For fifteen years, Wurtemberg had been governed under the mandate of the House of Hapsburg, and for many years after, the Viennese Hofburg took a considerable interest in the tiny State. From the Court's point of view, it was such an excellent bridge between the outlying Austrian territories in Breisgau and the scattered Austrian possessions along the upper reaches of the Neckar and Danube. Annexation by the Hapsburg State – an ever-present threat – would have meant that Wurtemberg would again become Catholic, and this was something which the people strove against in their plebiscite with just as much vigour as the "Landschaft" did. The latter would hardly have existed very long in Wurtemberg under Austrian Flag. Adherence to

ble un essor social. Non seulement Hölderlin, Hegel, Schelling et Mörike ont participé à ces cours mais aussi une multitude de pasteurs de campagne capables, que l'on ne connaît pas, mais leur instruction était le premier interêt des souverains, qui subventionnaient ces écoles.

Le fondateur des séminaires était le duc Christophe, qui dut surmonter les conséquences d'une catastrophe politique : Car son prédécesseur et père, le duc Ulrich, avait été mis au ban de l'Empire et exilé à cause de ses excès despotiques. Pendant quinze années l'Etat de Wurtemberg était un territoire de mandement de la maison de Habsbourg et après cette époque le gouvernement de Vienne ne cessait pas de s'intéresser pour notre petit Etat, qui pourrait être une sorte de jonction entre les territoires hériditaires de l'Autriche en Brisgau et les pays autrichiens morcelés auprès du Neckar Supérieur et du Danube Supérieur. L'union avec l'Autriche, qui était toujours une menace et qui fut pratiquée pendant la

tholisierung Württembergs bedeutet, und dagegen wandte sich die Volksstimmung ebenso entschieden wie „die Landschaft", die in einem österreichisch gewordenen Württemberg schwerlich weiterbestanden hätte. So verband sich denn jahrhundertelang das Festhalten an der Reformation eng mit dem Bestehen auf Unabhängigkeit des Landes: die Konfessionstreue wurde ganz von selbst zu einem politischen Motiv. Deshalb mußte denn auch dem Herzog Christoph soviel an der steten Versorgung seines Landes, auch in den kleinsten Dörfern, mit gut ausgebildeten fähigen Pfarrern gelegen sein.

Zwei Jahrhunderte später setzte Herzog Karl-Eugen neben das auf die theologische Laufbahn beschränkte Staatsstipendium ein zweites, durchaus weltliches. Denn das von ihm gegründete und nach ihm benannte Institut, die Hohe Karlsschule, umfaßte eine Militär- und eine Kunstakademie, eine Ballettschule und

the Reformation over the centuries was therefore closely connected with the notion of independence in the land. In other words, loyalty to the Protestant confession assumed political motives. Herzog Christoph therefore saw to it that the entire country, even the smallest village, was provided with competent, well-educated clergymen. Two hundred years later, the Wurtemberg Duke Karl-Eugen initiated, in addition to the theological course of study, a second State scholarship of a much more temporal character. The institute founded by him and which bore his name, the "Hohe Karlsschule", embraced a military and an art academy, a ballet school and, finally, a university which offered instruction in philosophy, law, economics and medicine. True, the "Herzog" himself decided who was to be admitted and, although the wishes of the parents often counted for little, the aims of the education and

Guerre de Trente Ans, aurait eu pour conséquence la restauration du Wurtemberg au catholicisme, ce qui était contre les intérêts du peuple protestant et du parlement (« Landschaft »), qui n'aurait plus pu exister dans un Wurtemberg devenu partie de l'Autriche. Ainsi la fidélité envers la Réformation était liée fermement avec la volonté de rester indépendant : la fidélité de confession était en même temps un motif politique. A cause de cet état des choses le duc Christoph avait tant d'intérêt en faveur des pasteurs de campagne. Il subventionnait leur instruction, car il était nécessaire, que même les plus petits villages avaient un pasteur habile, bien instruit et intelligent. Deux centaines d'années plus tard le duc Charles Eugène a doté une deuxième bourse d'état à côté de celle qui faisait réussir les études théologiques, une bourse pour les études séculiers. L'institut fondé par lui, qui fut nommé d'après lui l'Ecole de Charles (« Hohe Karlsschule »), comprenait une académie

schließlich eine Universität, die Philosophie, Jurisprudenz, Nationalökonomie und Medizin als Studienfächer anbot. Gewiß entschied allein der Herzog über die Aufnahme und dies nicht immer dem Elternwillen gemäß, aber Erziehungsabsicht und Bildungsprogramme waren durchaus vom Geist der Aufklärung bestimmt. Pädagogisch interessierte Zeitgenossen auch außerhalb Württembergs hielten die Karlsschule für eine vortreffliche, sehr moderne Einrichtung. Ihr Bild ist im 19. Jahrhundert auf Grund vereinzelter Äußerungen von Schubarth und Schiller, vor allem aber durch die Wirkung von Laubes Effektstück „Die Karlsschüler", verdunkelt worden. Schiller verdankte der Karlsschule die Bekanntschaft mit der Aufklärungsphilosophie, auch und nicht zuletzt die kavaliersmäßige Konduite, die dem freien Schriftsteller hernach gut zustatten kam. Er floh – die Karlsschule hatte er bereits absolviert – ebensosehr aus der amusischen Enge Alt-Württembergs wie

the curriculum were guided by the principles of the Age of Enlightenment. Contemporary pedagogs in other States regarded Carl's school as an excellent and very modern institution. In the 19th century its reputation was overshadowed by certain remarks made by Schubarth and Schiller but, above all, by the criticism which resulted as a consequence of the play "Die Karlsschüler" by Laubes. It was to the "Karlsschule" which Schiller owed his acquaintance with the philosophy of the Enlightenment. The same could be said of the military-style conduct which served Schiller well in his capacity as an independent author.
He fled – as soon as he had completed his studies at the Karlsschule – not only from the narrowness of the non-artistic atmosphere prevailing in old Wurtemberg but also from the ever-present educational principles of Karl-Eugen. The mood in his home

militaire et une académie artistique, une école de chorégraphie et une université, dont les facultés étaient :
philosophie, jurisprudence, économie et médecine. Certainement c'était le duc lui-même et seulement lui, qui décidait, lequel des écoliers pourrait être admis (pas toujours selon la volonté des parents), mais le but de l'éducation et les programmes des études étaient animés par l'esprit du siècle philosophique. Les érudits pédagogues de ce temps (aussi ceux vivant hors des limites du duché Wurtemberg) estimaient l'école « Karlsschule » une institution excellente et très moderne.
Le renommé de l'école a été diminué au 19e siècle à cause de quelques propos des poètes Schubarth et Fr. Schiller et surtout par la pièce de théâtre (le mélodrame) « Die Karlsschüler » (Les Ecoliers) de Laube. Fr. Schiller doit à l'école Karlsschule la connaissance de la philosophie du progrès des lumières et aussi la conduite chevaleresque, qui était plus tard très

vor dem immer noch anhaltenden, diktatorischen Erziehungswillen Karl-Eugens. Denn die Atmosphäre im Land und in seiner Hauptstadt war puritanisch, ja eschatologisch geworden, seit Württemberg infolge unerwarteter Erbfolge fast über Nacht einen katholischen Herzog bekommen hatte. Allererst hatte er freilich der Forderung der „Landschaft" zu entsprechen und zur dauerhaften Sicherung des evangelischen Konfessionsstandes die „Religionsreversalien" unterschreiben müssen. Dennoch ließen Parlament und Volk nicht vom Mißtrauen gegen den neuen Souverän Karl Alexander, welcher, vordem renommierter General in der kaiserlichen Armee unter dem Prinzen Eugen, seiner militärischen Laufbahn zulieb konvertiert hatte. Je mehr die Landschaft seinen politischen Ehrgeiz, sein Streben nach hochfürstlicher Repräsentanz durch

town and, indeed, throughout the entire State, was strictly puritanical and had, in fact, become eschatalogic. This was the result of an unexpected hereditary succession which gave Wurtemberg, almost overnight, a Catholic Duke as Head of State. Certainly, he had to comply at first with the demands of the "Landschaft" that he must, for instance, guarantee the permanent Evangelical Confession in the land. Nevertheless, the parliament and the citizens still had little confidence in the new sovereign Karl Alexander who, whilst a general in the Imperial Army under Prince Eugen, had already changed his confession in order to further his military career. The more the "Landschaft" tried to curb his political ambition and his aspirations for princely representation through cutting his financial means, the more often the Duke was obliged to turn to Catholic financiers, such as the Prince-Bishop of Würzburg, and the more dependent he became on scrupulous money-lenders like Süß of Oppenheim.

utile pour un écrivain libre. Il s'enfuit (après avoir terminé ses études à la Karlsschule), ne pouvant exister dans une atmosphère du Vieux Wurtemberg, qui manquait de sentiment artistique, et craignant la tradition pédagogique fervente, qui y dominait dès les temps du duc Charles Eugène. Car l'atmosphère intellectuelle du pays et de la capitale était puritaine, on pourrait dire eschatologique.

La cause en était : l'Etat Wurtemberg était tombé par une succession imprévue dans les mains d'un duc catholique Charles Alexandre, qui d'abord devait céder aux demandes du parlement (« Landschaft ») et devait signer les traités de tolérance (« Religionsversalien »), pour assurer la liberté de la religion protestante. Malgré tout le peuple et le parlement restaient sceptiques envers le nouveau souverain, qui a été général de l'armée impériale sous le Prince Eugène (de Savoie-Carignan), converti au catholicisme (voulant profiter de sa conversion pour sa carrière militaire). 20

Verweigerung der finanziellen Mittel einzuengen suchte, desto tiefer geriet der Herzog in Abhängigkeit teils von katholischen Geldgebern, vornehmlich dem Fürstbischof von Würzburg, teils von skrupellosen Geldbeschaffern wie dem Süß von Oppenheim. Die Spannung zwischen dem Souverän und dem Ständeparlament drohte einem gewaltsamen Ausbruch entgegen zu treiben, da starb Karl Alexander so unerwartet wie er zur Regierung gekommen war. Zunächst dauerte bei seinem Sohn Karl-Eugen das Mißverhältnis zwischem dem Fürsten und dem Parlament noch an. Der Gegensatz zwischen dem kargen Stuttgart mit seinem alten Wasserschloß und der neuen, grandiosen Residenz in Ludwigsburg bildete sich in den ersten Jahren der Regierung Karl-Eugens noch schärfer aus. Dort große Oper, üppige Hofhaltung, Sinnenlust, also böse Welt – hier eingezogene, sparsamste Lebensführung, Bibel, Andachtsbuch, allenfalls geistliche Musik, Erwartung des Weltendes –,

The tension between the sovereign and the "Ständeparlament" was threatening to come to a climax when Karl Alexander suddenly died and left the stage as unexpectedly as he had come to power.
For a time, the malcontent between his son Karl-Eugen, the princes and the parliament continued. The contrast between the old castle in frugal Stuttgart and the splendid new residence in Ludwigsburg became even more pronounced in the first years of Karl Eugen's reign: On the one hand, a thrifty, modest way of life, much time spent on the Bible or some book of devotion, music of a spiritual nature, thought of the redemption. On the other hand, life in the new court was opulent, given to pleasure, impious. It is in this light that we must understand Schiller's flight to Mannheim in the more wordly Palatinate. On his fiftieth birthday Karl-

Et quand le parlement réagit à la vanité du duc (qui voulait être un souverain glorieux) par le refus des finances, d'autant plus le duc tombait dans les mains de ses financiers catholiques (dont le plus important était l'archevêque de Würzburg) et des courtiers et agioteurs sans scrupules. Le conflit du souverain et du parlement s'augmentait dans une manière dangereuse jusqu'à la menace d'une guerre civile. Mais Charles Alexandre mourut soudainement. Sa mort était aussi imprévue que sa succession.
Pendant les premières années du règne de son fils Charles Eugène le conflit du souverain et du parlement continuait et s'accentuait encore : la différence de la ville parcimonieuse Stuttgart avec son ancien castel d'eau et de la nouvelle résidence grandiose de Ludwigsburg – c'était le symbole de deux règnes de deux conduites. D'une part le grand Opéra, la cour luxueuse, le plaisir sensuel, alors le « mauvais monde » – d'autre part une vie puritaine, économe, la lecture

21

so sieht der Hintergrund von Schillers Flucht ins weltläufige, kurpfälzische Mannheim aus. An seinem fünfzigsten Geburstag legte jedoch Karl-Eugen aus freien Stücken ein öffentliches Schuldbekenntnis ab und verwirklichte in den folgenden Jahren die angekündigte Änderung seines Regiments. Infolge der Kurzsichtigkeit seines Nachfolgers überlebte die Karlsschule ihren Stifter nicht, und das bedeutete, wie Schiller während seiner zeitweiligen Rückkehr nach Stuttgart erkannte und bekannte, eine beträchtliche Einbuße für das kulturelle Niveau des Landes. Immerhin hatte das Institut eine ganze Zahl von nicht nur gut vorgebildeten, sondern auch sehr gebildeten Verwaltungsjuristen herangezogen, und nicht zuletzt ihnen war es, abgesehen von der Durchsetzungskraft des ersten Königs, zu danken, daß die plötzliche Vergrößerung des Landes um

Eugen realized the error of his ways and publicly proclaimed a confession of guilt. In the following years reforms were carried out. As a consequence of the shortsightedness of his successor, the Karlsschule did not survive its founder for very long, and this meant, as Schiller observed on his frequent visits to Stuttgart, that the cultural level began to sink throughout the country. All the same, the Institute was responsible for turning out not only a large number of citizens with a good general education but also provided the State with many erudite administrative officers and judges. In addition to the stamina of the first king, it was especially due to them that the sudden enlargement of the country in 1803 (as a consequence of the "Reichsdeputationshauptschluß") was mastered with administrative skill in a very short time. From 1816 onwards, the

des textes bibliques, les livres de piété, un peu de musique ecclésiastique – on attendait la fin du monde. Voilà la situation historique et psychologique de la fuite de Fr. Schiller à Mannheim, une ville mondaine du Palatinat electoral. A l'occasion du cinquantième anniversaire de sa naissance Charles Eugène exprimait spontanément son sentiment d'être chargé de crimes et il changeait dans les années suivantes complètement son régime. A cause de la vue bornée de son successeur, l'école Karlsschule n'existait plus après la mort de son fondateur. Fr. Schiller en retournant pour quelque temps à Stuttgart le voyait bien et il disait que c'était une perte pour la vie intellectuelle du pays.
L'institut avait instruit un grand nombre de juristes d'administration bien préparés et savants – et c'était leur activité et l'énergie du premier roi de Wurtemberg qui avaient fait possible l'agrandissement de l'Etat (à peu près un redoublement) et l'intégration des nouveaux territoires immédiate-

22

mehr als den doppelten Umfang infolge des Reichsdeputationshauptschlusses von 1803 in erstaunlich kurzer Zeit administrativ bewältigt werden konnte. Dazu trug ab 1816 die sacht zu Werke gehende Toleranz des zweiten Königs gegenüber dem neuen, katholischen Landesteil sehr wesentlich bei. Denn die heikelste Aufgabe wurde gestellt durch die Eingliederung des Donaulandes in das bisher nicht nur geschlossene, sondern auch militant evangelische Neckarland. Wie erstaunlich anders, wieviel weltfreudige Tradition und Atmosphäre in diesem oberschwäbischen Neu-Württemberg waren, das erfuhr der beurlaubte Vikar Eduard Mörike, der sich 1828 seiner Erholung wegen längere Zeit erst in Scheer bei Sigmaringen, dann in Buchau am Federsee aufhielt, voller Behagen. Es wird spürbar in seinen Gedichten und Briefen aus dieser Zeit. Schade nur, daß er bei der Riedlinger Fastnacht nicht dabei war und dem burlesken Treiben von unförmig aufgeblähten

administration was smoothened by the cautious and tolerant attitude of the second king towards the newly-integrated Catholic part of the State. Indeed, it was anything but an easy task to absorb the Danube territories in the previously tightly-closed and, what is more, militantly evangelical Neckarland. Just how different, how much more open-minded the atmosphere and tradition in this Upper Swabian New Wurtemberg were, is related with pleasure by the vicar Eduard Mörike who spent a long period of convalescence in 1828, first of all in Scheer near Sigmaringen and then in Buchau on Lake Feder. This experience is reflected in the letters and poems which he wrote during this period. It is perhaps a pity that he did not take part in the festivities of the "Riedlinger Fastnacht" with its burlesque goings-on. It is even more regrettable that he was not able to experience the gift of the "Oberländer" for organizing lively festivals

ment après la dernière session de la diète du Saint-Empire en 1803 (« Reichsdeputationshauptschluß »), qui décidait la suspension des trois quarts des Etats de l'Empire pour indemniser les princes lésés par l'annexion de la rive gauche du Rhin par les Français et qui établit le nouvel électorat de Wurtemberg. En 1805 l'électeur Frédéric allié de Napoléon devint roi. Très utile pour le pays était aussi la tolérance de son fils, le deuxième roi, envers les habitants de la nouvelle partie de son Etat avec une majorité catholique (dès 1816). La tâche la plus difficile était l'intégration du pays du Danube dans le royaume Wurtemberg, né du pays du Neckar, qui était jusqu'à ce moment non seulement uniforme quant à la langue et la culture mais aussi une région habitée de fervents protestants.
Le poète Eduard Mörike avait l'occasion de connaître l'atmosphère et la tradition plus mondaine de « Nouveau Wurtemberg » (auprès du Danube Supérieur) en 1828, quand il séjournait quelque temps non

„Maschgerern", der „Gole", nicht zusehen konnte. Noch mehr zu bedauern ist, daß er die Begabung der Oberländer zu vitalen, die ganze Bevölkerung einbeziehenden Festen nicht kennengelernt hat: die halb geistliche, halb bäuerliche Reiterprozession mit der Reliquie vom heiligen Blut, den Weingartener „Blutritt", das mehrere Tage die ganze Stadt in Atem haltende Schützenfest von Biberach, das glänzende Rutenfest von Ravensburg. Derlei gab es und gibt es in keiner Stadt des evangelischen Kernlandes: Welch reizende Partien hätte dies alles in den Briefen des exzellenten Briefschreibers Mörike geliefert. Ein Glück denn, daß jene Feste auch heute noch Sommer für Sommer gefeiert werden.

Bereits 150 Jahre war es her, daß die obere Donau ein binnenwürttembergischer Fluß und sogar ein Uferstreifen des Bodensees

which sweep along the entire population in their spell. Take, for example, the semi-religious, semi-rustic cavalcade bearing the relic of the "Holy Blood", the "Blutritt" of Weingarten, the "Shooting Match" at Biberach, which keeps the whole town in suspense for several days, or the outstanding "Rutenfest" at Ravensburg. Such events never took place in any of the Protestant towns in the central part of the country. All of this would have provided Mörike with wonderful material for his excellent letters. It is therefore fortunate, at least, that these festivals are revived year after year in the summer months.

150 years have now passed since the Danube became, in part, a Wurtemberg river and a stretch of the shore of Lake Constance fell under Wurtemberg jurisdiction. The fusion of the two States Baden and Wurtemberg to form a single State within the Federal Republic of Germany placed even heavier burdens on the administrative and political talents of the authorities

loin de Sigmaringen pour se reposer. Puis il vivait à Buchau auprès du lac Federsee, où il était à son aise. Ses poèmes et ses lettres de ce temps nous en donnent une impression. On peut regretter cependant, qu'il n'avait pas l'occasion d'être témoin du carnaval pittoresque de Riedlingen, qu'il ne pouvait pas observer et décrire les masques grotesques des « Gole » et qu'il ne pouvait pas connaître les fêtes des paysans du « Pays Supérieur », les fêtes à l'occasion desquelles tout le monde se rassemblait : les processions équestres à la fois ecclésiastiques et rurales par exemple celle avec la relique du Saint Sang nommée la « course de sang » (« Blutritt ») de Weingarten – ou le tir de Biberach, qui durait plusieurs jours et qui était la plus importante activité de la ville. Pensez aussi à la fête des verges à Ravensburg. On ne trouve pas de fêtes comparables dans aucune ville du pays protestant, de l'Ancien Wurtemberg. Imaginez-vous quelles charmantes descriptions Eduard Möri-

württembergisch geworden waren, als Württemberg im größeren Staatsgebilde Baden-Württemberg aufging. Die Zusammenführung der beiden Länder zu einem einzigen Bundesland stellte noch größere Anforderungen an Politik und Verwaltung als ehemals die Erweiterung des herzoglichen Neckarlandes zum Königreich Württemberg. Denn sie mußte ohne den Machtanspruch eines Monarchen vor sich gehen, nur auf Grund der Zustimmung seitens der Bewohner konnte sie zustande kommen. Für das Gelingen, an das vor 1939 wohl kaum jemand weder in Baden noch in Württemberg geglaubt hätte, war die Notzeit nach 1945 entscheidend. Denn damals vermochte der wirtschaftliche und verwaltungstechnische Vorteil der Vereinigung unmittelbar einzuleuchten. Die Erwartung bestätigte sich im Lauf von fünfundzwanzig Jahren. Denn das industrialisierte Neckarland – der Neckar wurde zur Schiffahrtsstraße – und die als Reiseziel und Erholungsgebiet anziehend gewordenen

25

concerned than when the former ducal Neckarland became the Kingdom of Wurtemberg. It came into existance without the leadership of a monarch and only on the strength of a vote on the part of the population. In 1939, nobody in Baden or Wurtemberg would have been prepared to believe that an integration of the two States could ever be successful. That it did, indeed, prove possible at all is due to the desperate years of deprivation which followed the collapse in 1945. At that time, the advantages to be drawn from an economic and administrative amalgamation were very apparent. The initial hopes have been more than confirmed in the course of the last thirty years. The industrialized Neckar – the river has become an important commercial waterway – the recreational areas in the Black Forest and regions of agriculture and small industrial firms along the rivers Danube, Jagst and Kocher constitute

ke aurait pu écrire dans ses lettres excellentes. Et nous pourrons être heureux, que ces fêtes ont encore lieu chaque été et que nous en pouvons être témoins.
Il y a 150 ans, que le Danube Supérieur est devenu un fleuve du royaume Wurtemberg – et même une partie des rivages du lac de Constance est devenu territoire de l'Etat Wurtemberg, qui maintenant fait partie de l'Etat Baden-Württemberg. L'union des deux Etats en un Etat de l'Allemagne Fédérale était encore plus compliquée que l'agrandissement du pays ducal du Neckar, lorsqu'il se changeait en électorat et puis en royaume de Wurtemberg. Car ce n'était pas le désir et le pouvoir d'un souverain, qui unissait le pays – qui ne pouvait être lié que par la volonté des habitants. Et ce qui semblait impossible en 1939 était réalisé pendant la situation déspérée après 1945. Alors on voyait clairement l'utilité économique et administrative de l'union. L'attente a été constatée pendant les derniers 25 années. Les régions : celle

Landesteile im Schwarzwald, an der Donau, der Jagst und am Kocher, Gebiete vorwiegend landwirtschaftlicher und kleingewerblicher Nutzung, stehen miteinander im Gleichgewicht. Nicht zu vergessen schließlich: die Vereinigung von Baden und Württemberg hat ein Weinaufkommen erbracht, das sich an Qualität und Quantität mit dem der Pfalz und des Rheingaus messen kann. Übrigens ist gerade im Weinbau die Verschiedenheit zwischen Neckarland und oberer Donau am augenfälligsten: wohl trifft man heute auf bedeutende Industriewerke nicht nur in Ulm, sondern auch anderswo in Oberschwaben, aber nirgendwo im Donauland wächst Wein. Hingegen an die Industrie- und Handelsstadt Heilbronn schließen sich Weinberge, sogar innerhalb Stuttgarts erheben sie sich, auch über dem Mercedes-Gelände von Unter- und Obertürkheim, und gerade dort gedeihen die besten Kreszenzen.

together a well-balanced State. It is also worth observing that the union between Baden and Wurtemberg has given rise to a wine production of a variety, quality and quantity which stands comparison with that of the Pfalz (Palatinate) and the Rhine Valley. Nevertheless, it is with respect to wine-growing that we notice the very marked general difference between the Neckar region and the Upper Danube. It is true that you will come across important industrial undertakings in Ulm and Upper Swabia, but vineyards are very rare in the Danube region of Wurtemberg. On the other hand, the industrial town of Heilbronn is skirted by wine-growing hills, and even within the city bounds of Stuttgart, in fact, right above the Mercedes-Benz factories in Obertürkheim, you will find the best grapes flourishing.

du Neckar avec l'industrie (le Neckar est devenu une voie de navigation importante), celle de la Forêt-Noire (surtout un pays touristique), celle du Danube, des régions Jagst et Kocher (des terres rurales avec peu d'industrie) – toutes gardent l'équilibre, l'une est complémentaire de l'autre. Enfin n'oubliez pas, que l'union du Bade et du Wurtemberg a crée un vendage extraordinaire, comparable en qualité et en quantité avec celui du Palatinat et de la région Rheingau. Vous pouvez facilement déterminer la différence du pays du Neckar et de celui du Danube Supérieur en regardant la viticulture : On trouve des usines importantes non seulement à Ulm mais partout dans la région du Souabe Supérieur, mais nulle part dans le pays du Danube croît le vin. Cependant les coteaux plantés de vignes sont voisins de la ville industrielle Heilbronn et même dans la ville Stuttgart on les trouve. Des coteaux plantés de vignes dominent aussi l'usine Mercedes à Unter- et Obertürkheim, où on trouve les meilleurs crus! 26

28

Neckarland und obere Donau

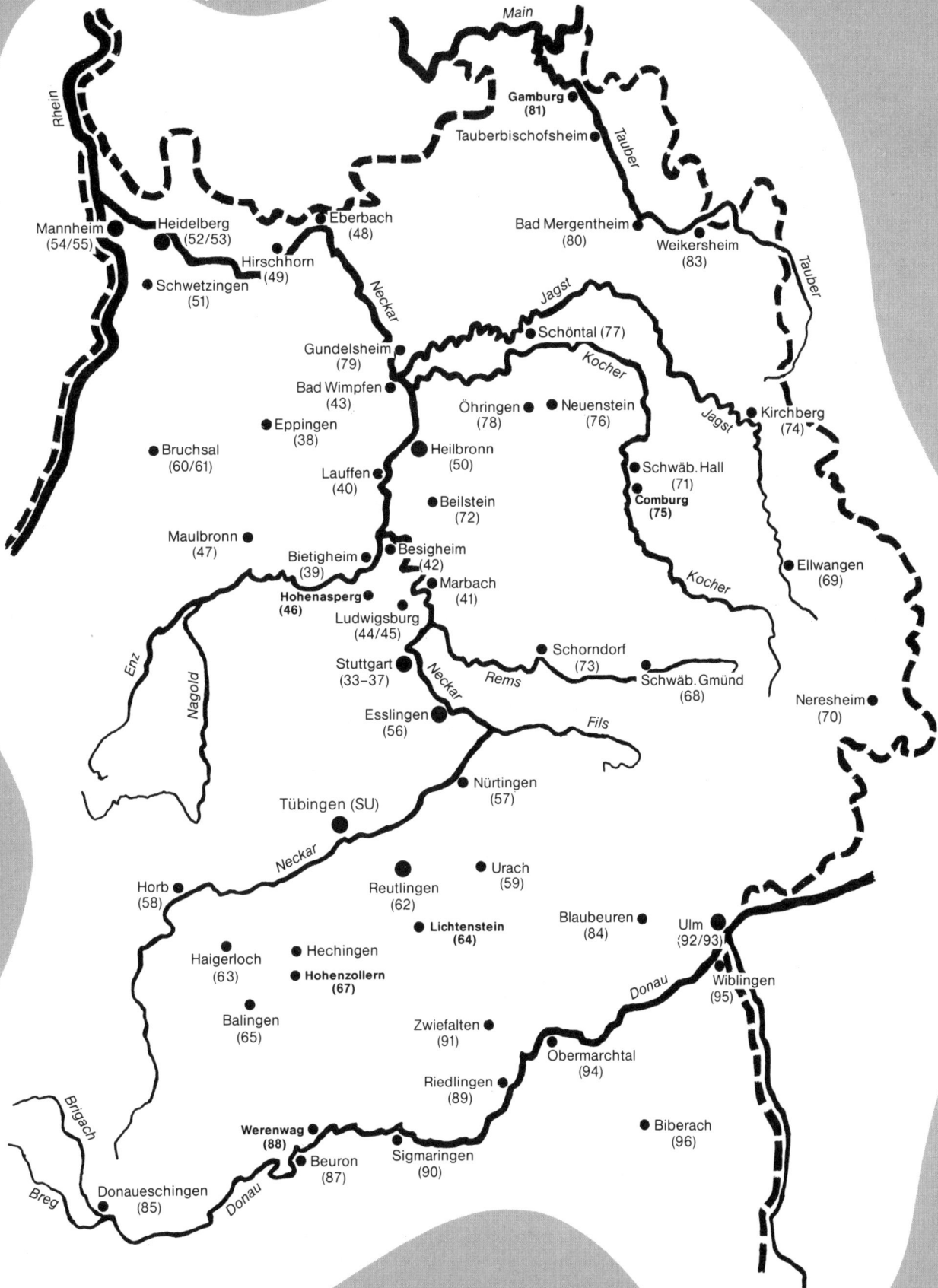

Main

Rhein

Gamburg
(81)

Tauberbischofsheim

Tauber

Mannheim
(54/55)

Heidelberg
(52/53)

Eberbach
(48)

Bad Mergentheim
(80)

Weikersheim
(83)

Tauber

Hirschhorn
(49)

Schwetzingen
(51)

Neckar

Jagst

Schöntal (77)

Kocher

Gundelsheim
(79)

Bad Wimpfen
(43)

Öhringen
(78)

Neuenstein
(76)

Jagst

Kirchberg
(74)

Eppingen
(38)

Bruchsal
(60/61)

Heilbronn
(50)

Schwäb. Hall
(71)

Lauffen
(40)

Beilstein
(72)

Comburg
(75)

Maulbronn
(47)

Bietigheim
(39)

Besigheim
(42)

Kocher

Ellwangen
(69)

Hohenasperg
(46)

Marbach
(41)

Ludwigsburg
(44/45)

Enz

Nagold

Schorndorf
(73)

Stuttgart
(33–37)

Neckar

Rems

Schwäb. Gmünd
(68)

Neresheim
(70)

Esslingen
(56)

Fils

Nürtingen
(57)

Tübingen (SU)

Neckar

Urach
(59)

Horb
(58)

Reutlingen
(62)

Blaubeuren
(84)

Ulm
(92/93)

Haigerloch
(63)

Hechingen

Lichtenstein
(64)

Wiblingen
(95)

Hohenzollern
(67)

Donau

Balingen
(65)

Zwiefalten
(91)

Obermarchtal
(94)

Brigach

Riedlingen
(89)

Biberach
(96)

Werenwag
(88)

Beuron
(87)

Sigmaringen
(90)

Breg

Donaueschingen
(85)

Donau

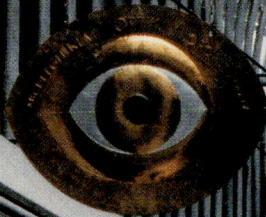

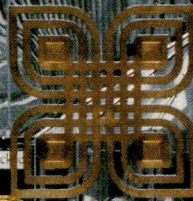

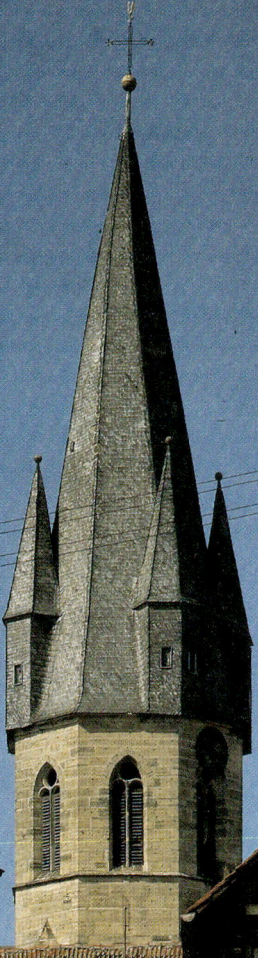

FEYERABEND

Wimpfener Kleinkunststube

BILDERLÄUTERUNGEN PHOTOCAPTIONS LÉGENDES D'IMAGES

SEITE 33–37: *Stuttgart*, die Landeshauptstadt von Baden-Württemberg, die „Großstadt zwischen Wald und Reben", hat es von jeher verstanden, Tradition und Fortschritt zu verbinden. Zugleich auch wußte sie den Glanz der Residenzstadt zu nutzen und das Wachsen bürgerlichen Wohlstands zu pflegen. Stuttgart ist der kulturelle Mittelpunkt Südwestdeutschlands: Zwei Universitäten, Hoch- und Fachschulen, Musik, Theater und Ballett sowie bedeutende Museen charakterisieren den geistigen Rang der Stadt. Das Gesicht Stuttgarts wird von wichtigen alten und richtungsweisenden neuen Architekturen geprägt.

Im Mittelpunkt der Stadt steht die zweitürmige Stiftskirche (SEITE 35), eine Gründung des 12. Jh., die im 15. Jh. spätgotisch erneuert wurde. Die Zerstörungen des 2. Weltkrieges waren bis 1958 im wesentlichen behoben. Unweit der Kirche das vertraute und anheimelnde Bild des Marktplatzes, das durch die moderne Umgebung nicht nur nicht beeinträchtigt, sondern eher gefördert wird.

Einen deutlichen Kontrast zum Marktplatz bildet die Calwer Passage (SEITE 34), Stuttgarts neue Gute Stube. Anknüpfend an die Tradition der berühmten Passagen des 19. Jh. ist hier ein verführerisches Einkaufszentrum entstanden, dessen Flair symptomatisch für die neue Urbanität ist, deren sich Stuttgart in unserer Zeit erfreut.

Das Neue Schloß (SEITE 36/37) ist einer der großen und charakteristischen Bauten Stuttgarts. Die ehemalige Residenz der württembergischen Könige ist ein Spätbarockbau, der unter mehreren Baumeistern von 1746 an errichtet wurde. Die dreiflügelige Anlage schließt einen Ehrenhof ein, an den der heutige Schloßplatz angrenzt. Die nächtliche Beleuchtung wandelt eine gewisse Strenge, die das Schloß ausstrahlt, zu einer fast romantischen Weichheit. 1944 wurde das Neue Schloß zerstört, zwanzig Jahre später war der Wiederaufbau abgeschlossen.

Der Fernsehturm (SEITE 33), das Wahrzeichen des modernen Stuttgart am Hohen Bopser (482 m), ist eine der frühesten derartigen Anlagen in Deutschland. Er wurde 1954/56 errichtet und mißt bis zur Antennenspitze 216,61 m. Schnellaufzüge führen zum vierstöckigen „Korb" mit Restaurant und Senderäumen in 150 m Höhe. Zwei Aussichtsplattformen erlauben einen weiten Blick in die Runde.

PAGES 33-37: *Stuttgart,* the capital of the State of Baden-Wurtemberg, the "city set between the forest and vines", has always understood how to combine tradition with progress. It knew both how to make use of the glamour of the capital and, at the same time, how to cultivate the increase in middle-class prosperity. Stuttgart is the cultural centre of south-west Germany: two universities, colleges and technical schools, music, theatre and ballet, as well as important museums characterize the intellectual position. The image of Stuttgart is stamped by important pieces of architecture both old and new which act as landmarks; to mention just a few there are the old and the new castle, the station, the concert hall, and the television tower.

The focal point of the city is formed by the twin-steepled cathedral (Page 35), a foundation of the 12th century which was renovated in late gothic style in the 15th century. The destruction caused by the second World War was made good, for the most part, by 1958. Not far from the church we have the friendly and cosy picture of the market place, which is not only unimpaired by the modern surroundings but has even been enhanced by them. The Calwer Arcade (Page 34), Stuttgart's new showpiece, provides a sharp contrast to the market square. In keeping with the tradition of the famous 19th century arcade, a tempting shopping centre has been formed here.

The New Castle (Pages 36/37) is one of the large and characteristic buildings of Stuttgart. The former residence of the Wurtemberg kings is a late baroque edifice which was erected under the guidance of several master-builders from 1746 onwards. The three-winged design includes a court of honour which is adjoined by what is today the palace-yard. The night-illuminations transform a certain severity which the castle emits into an almost romantic mellowness.

The television tower (Page 33), the landmark of modern Stuttgart on the Hohen Bopser (482 m), is one of the earliest installations of its kind in Germany. It was erected in 1954/56 and measures 216,61 m at the tip of its antenna. Express lifts lead to the four-floor "basket" with restaurant and transmission rooms at a height of 150 m. Two observation platforms provide one with a panoramic view.

PAGES 33-37 : *Stuttgart,* la capitale politique de l'Etat Baden-Württemberg, la « grande ville au milieu des forêts et des vignes », a toujours su combiner la tradition et le progrès. Elle était en même temps une ville résidentielle et une ville commerciale rayonnante de gloire et de prospérité. Stuttgart (fondé probablement vers 950 par le duc des Souabes Liudolf sur l'emplacement d'un haras – son nom veut dire « jardin des juments ») est le centre culturel du Sud-ouest de l'Allemagne : on y trouve deux universités et des académies, des théâtres, la maison des concerts « Liederhalle » et les musées : le musée de L'Etat (préhistoire), la galérie de l'Etat (avec le maître-autel célèbre de Jörg Ratgeb 1518/19), la galérie de la ville, le « Linden-Museum » (ethnographie) et le musée privé Daimler-Benz (automobiles).

Au milieu de la ville se trouve l'église collégiale (PAGE 35), de la Sainte-Croix fondée au 12e siècle, transformations considérables par l'architecte A. Jörg 1433–60 en style gothique tardif. Les destructions de la dernière guerre mondiale ont été écartées jusqu'à 1958 en substance. (A signaler particulièrement les caveaux des ducs de Wurtemberg.) Non loin de l'église se trouve la place du Marché, qui a gardé son aspect traditionel et qui est en même temps en harmonie avec l'entourage moderne.

Un échantillon de l'architecture moderne c'est le « Passage de Calw » (PAGE 34), le nouveau salon de Stuttgart, un centre d'achats élégant dans la tradition des passages célèbres du 19e siècle.

Le Château-Neuf (PAGE 36/37) fondé en 1746 par le duc Charles Eugène était la résidence des ducs, électeurs et rois de Wurtemberg construit par plusieurs architectes : Les dessins de L. Retti étaient une imitation de Versailles, en 1751 L. P. de la Guêpierre était le directeur des travaux. Le château est une construction baroque à trois ailes entourant la cour d'honneur. L'illumination du château pendant la nuit crée une atmosphère romantique. Le Château-Neuf détruit en 1944 a été reconstruit après la guerre. La reconstruction durait à peu près vingt années.

La tour de télévision (PAGE 33) sur le mont Hoher Bopser (482 mètres de hauteur) est une marque distinctive de la ville. Il a été construit en 1954/56 et il a 216.61 mètres de hauteur y compris le py-

SEITE 38: Das Bild der Stadt *Eppingen* ist charakterisiert durch eine ganze Reihe schöner Fachwerkhäuser, die zum Teil in neuerer Zeit gut restauriert wurden. Besonderen Rang haben u. a. das Baumannsche Haus von 1582 (Bild), die noch zwei Jahrhunderte ältere Ratsschänke oder das Gemmingische Haus. Auch die Pfarrkirche Mariae Himmelfahrt wurde um die Mitte des 15. Jh. errichtet, später allerdings merklich verändert. Von der alten Stadtbefestigung blieb der Pfeiferturm erhalten.

SEITE 39: *Bietigheim* ist eine reizvolle alte Stadt. In den winkligen Gassen sehen wir schöne altschwäbische Bürgerhäuser. Aber das Glanzstück ist das Rathaus am Marktplatz, ein schlanker hoher Renaissancebau. Der spitzbehelmte Turmerker erhielt ein Jahrhundert später eine Kunstuhr. Von der überdachten Ratskanzel überblickt man den Marktplatz, dessen Brunnen mit einer Figur des Herzogs Ulrich geschmückt ist (1549).

SEITE 40: *Lauffen* ist eine altertümliche Stadt am Neckar. Hier wurde 1770 Friedrich Hölderlin als Sohn des Klosterhofmeisters geboren. Die Regiswindiskirche aus gotischer Zeit beherrscht das Stadtbild. Auf einer Insel im Fluß steht der zinnenbekrönte Bergfried der ehemaligen Burg.

SEITE 41: Die alte Stadt *Marbach* am mittleren Neckar hat in der deutschen Geisteswelt Berühmtheit erlangt als Geburtsort Friedrich Schillers (1759). Sein Geburtshaus, ein schöner Fachwerkbau, ist noch heute gut erhalten. Eine wichtige Rolle spielt das Schiller-Nationalmuseum (Bild), das zu Beginn unseres Jahrhunderts errichtet wurde und Baugedanken des Schlosses Solitude bei Stuttgart wieder aufnimmt. Es bringt Erinnerungen an den Dichter: Handschriften, Briefe, Erstausgaben. Es ist aber auch Heimat des geistigen Nachlasses aller Dichter des schwäbischen Raumes. Das Deutsche Literaturarchiv, als wissenschaftliche Institution, wurde 1955 im Rahmen des Museums ins Leben gerufen.

SEITE 42: Wo die Enz in den Neckar mündet, überrascht *Besigheim* den Besucher als eine reizvolle Kleinstadt, die sich

PAGE 38: The appearance of the town of *Eppingen* is characterized by a row of very beautiful timber-framed houses, some of which have been restored in recent years. Of particular architectural value are, amongst others, the "Baumann House", dating back to 1582, the Ratsschänke (inn) or the "Gemming House" which were built a hundred years later. Also the parish-church (of the Assumption) was built around the middle of the fifteenth century, but underwent considerable alterations later. The "Piper's Tower" is the only part remaining of the old city fortifications.

PAGE 39: *Bietigheim* is a delightful old town. In the winding valleys you can still find the beautiful old Swabian houses built by middle-class citizens. The most impressive piece of architecture is the town hall at the market place (photo), a tall, slender Renaissance building. The conical roof of the tower was provided with a clock after a delay of one century. From the roofed-over pulpit of the town hall you can obtain a good view of the market place which is adorned with a statue of the Duke Herzog (1549).

PAGE 40: *Lauffen* is an ancient town on the Neckar. Friedrich Hölderlin was born here as the son of the monastery steward in 1770. The church "Regiswindis" of Gothic origin dominates the outline of the town. On an island in the river one can see the fortified belfry of the former castle.

PAGE 41: The old town *Marbach,* situated in the central part of the Neckar Valley, achieved fame in the German intellectual world as the birth-place of Friedrich Schiller (1759). The house where he was born, a beautiful timber-framed building, is still well-preserved today. Of considerable importance here is the Schiller National Museum (photo), which was founded at the beginning of our century and reflects the architectural style of Solitude Castle near Stuttgart. It contains souvenirs in memory of the Poet: manuscripts, correspondence, first editions. It serves, at the same time, as a home for the literary bequest of all significant Swabian writers. Das Deutsche Literaturarchiv, a literary research institution, was founded as a department of the Museum in 1955.

PAGE 42: At the point where the Enz flows into the Neckar the visitor is surprised by *Besigheim,* a charming little town which has been able to preserve

lône. Des ascenseurs accélérés montent jusqu'au « panier » avec le restaurant et les studios d'émission (à 150 mètres de hauteur). De deux plates-formes belvédères on a une belle vue panoramique sur la ville et ses environs.

PAGE 38. La ville pittoresque *Eppingen* est surtout caractérisée par l'état de conservation de son aspect moyenâgeux : nombreuses maisons anciennes à pans de bois, en partie restaurées depuis peu. A signaler particulièrement : la maison Baumann (édifiée en 1582, illustration), la taverne du conseil (14e siècle) et la maison Gemming. Léglise paroissiale de l'Assomption de la Vierge édifiée au 15e siècle fut plusieurs fois remaniée. De l'ancienne enceinte de la ville est resté très peu, notamment la « Tour Pfeifer » (« Tour du siffleur »).

PAGE 39. *Bietigheim* est une charmante vieille ville chargée d'histoire ; impression moyenâgeuse de haut goût : des venelles anguleuses et de vieilles et pittoresques maisons ; à signaler particulièrement : l'hôtel de ville bordant la place du Marché, un très intéressant exemple de l'architecture du la Renaissance (illustration). Sa tour est ornée d'un horloge. Du fronton richement ornementé on voit sur la place du Marché à la fontaine avec une sculpture du duc Ulrich (1549).

PAGE 40. *Lauffen* sur le Neckar est une petite ville moyenâgeuse de pittoresque aspect. En 1770 Fr. Hölderlin y est né, fils d'un maître d'hôtel du couvent. A signaler particulièrement l'église gothique Ste-Régiswinde. Sur une île du fleuve se trouve le beffroi que est resté des vestiges de l'ancien château fort.

PAGE 41. Lancienne ville *Marbach* sur le Neckar est le lieu de naissance de Friedrich Schiller (1759). Sa maison de naissance, une construction à pans de bois, est en bon état de conservation. Voilà le célèbre musée Schiller-Nationalmuseum (avec les archives Deutsches Literaturarchiv, fondées en 1955). L'architecture du musée est inspirée par le modèle du château Solitude aux environs de Stuttgart. On y trouve des souvenirs du poète : des manuscrits, des lettres et des livres, de même les œuvres posthumes de tous les poètes de cette région.

PAGE 42. Où l'Enz se jet dans le Neckar, la petite ville *Besigheim* offre encore beaucoup de monuments charmants. La ville charmante séduit par son patrimoine

viel Vergangenheit bewahren konnte. Die Stadt war einmal von starken Wehrmauern umschlossen. Reste der regen alten Bautätigkeit blieben erhalten, darunter zwei mächtige runde Türme aus dem 12. Jh. und, mitten in der Vielfalt der Fachwerkhäuser, das hohe Rathaus von 1459. Das Bild zeigt, wie sich die Stadt malerisch über der Enz aufbaut.

SEITE 43: *Bad Wimpfen,* hoch über dem Neckar, erlebte seine Blüte unter den Hohenstaufenkaisern und in der Zeit der Reichsunmittelbarkeit. Zahlreiche Bauten in der Badestadt von heute erinnern an die große Vergangenheit: Reste der Kaiserpfalz, der Stadtbefestigung, Kirche und Bürgerhäuser, verwinkelte Straßen und Plätze der unversehrten Altstadt mit schönen Fachwerkbauten. Im Hintergrund des Bildes der berühmte Blaue Turm, das höchste Gebäude und zugleich das Wahrzeichen der Stadt. – Im ursprünglich wichtigeren Ortsteil Wimpfen im Tal dominiert die bedeutende Stiftskirche St. Peter und Paul, deren Baugeschichte bis in ottonische Zeiten zurückreicht.

SEITE 44/45: *Ludwigsburg* verdankt seine Entstehung Herzog Eberhard Ludwig, der im frühen 18. Jh. seine Residenz von Stuttgart hierher verlegte. Das prächtige Barockschloß, eine der größten noch erhaltenen Anlagen dieser Art in Deutschland, ist von weitgedehnten, gepflegten Anlagen umgeben, die sich in jedem Sommer als eine bezaubernde Gartenschau „Blühendes Barock" präsentieren. Gleichzeitig mit dem Schloß entstand die Stadt, die auch in unserer Zeit noch stolz sein kann auf viele Vorzüge, die mit dem Charakterbild einer ehemaligen Residenz verbunden sind.
In der reizenden Barockszene bemerkt der Gast kaum, daß die Stadt auch ein wirtschaftlicher Mittelpunkt und Heimat bedeutender Industrien ist.

SEITE 46: Mauerumgürtet liegt über Rebhängen in stolzer Höhe auf einem freistehenden Bergkegel die Festung *Hohenasperg.*
Nachricht von der Besiedlung dieser Höhe haben wir schon aus dem 5. Jh. Die heutige Anlage geht im wesentlichen auf den Neubau von 1535 durch Herzog Ulrich zurück. Spätere Erweiterungen und Verstärkungen ließen die Festung geeignet erscheinen, politische Häftlinge hier oben festzuhalten – so mußte u. a. der Sturm-und-Drang-Dichter Chr. D. Schubart zehn Jahre abbüßen.

much of the past. At one time the town was enclosed by strong defensive walls. Remains of the industrious building activity of former times have been preserved, among which are the two mighty round towers from the 12th century and, right in the middle of the multiplicity of Tudor houses, the lofty town hall built in 1459.

PAGE 43: *Bad Wimpfen,* far up the Neckar, experienced its heyday under the Hohenstaufen emperors and during the time when it was directly subject to the old Empire. Numerous buildings in the present-day spa remind one of the great past: remains of the "Kaiserpfalz", the town's fortifications, churches and citizens' houses, crooked streets and squares of the undamaged old quarter with its lovely timber-framed houses whose artistically-forged coats of arms attract the visitor. In the background of the picture we see the famous "Blue Tower", the highest building which is, at the same time, the town's landmark. – The originally more important district of Wimpfen im Tal is dominated by the famous church of St. Peter and Paul whose construction history goes back to Ottonian times.

PAGES 44/45: *Ludwigsburg* has to thank its existence to Duke Eberhard Ludwig, who, in the early 18th century, had his residence transferred here from Stuttgart. The magnificent baroque castle, one of the largest constructions of its kind still preserved in Germany, is surrounded by expansive, well-tended grounds which are the setting for a charming garden exhibition "Baroque in Bloom" every summer. The town was founded at the same time as the castle, and even today this town can still be proud of many privileges which are linked with its former position as a royal residence. Mörike and Kerner were born near the historic market place, and Schiller spent some years of his youth here and also wrote Wallenstein later in Ludwigsburg. In the enchanting baroque scene, the guest scarcely notices that the town is also an economic centre and the seat of important industries.

PAGE 46: *Hohenasperg* is perched on a solitary mountain ridge and surrounded by a high wall. There is evidence to believe that this elevation was inhabited as early as the fifth century. The present-day edifice is based essentially on the castle commissioned by Duke Ulrich in 1535. Later extensions and ramifications made

médiéval, atmosphère romantique, aspect moyenâgeux fort bien conservé et homogène de murailles et de tours fortes. Deux tours rondes de style roman du 12e siècle sont nommées les « tours romaines ». L'hôtel de ville édifié en 1459 est entouré de maisons à pans de bois pittoresques. Voilà la vieille ville chargée d'histoire dominant pittoresquement l'Enz.

PAGE 43. La période d'épanouissement de *Bad Wimpfen* était le haut-Moyen-Age, le temps de l'empereur Barberousse. La ville libre impériale est aujourd'hui une station de bains renommée. La ville renferme de nombreux témoins de son histoire : les vestiges du palais impérial, l'enceinte de la ville, l'église paroissiale, les venelles et places que bordent des maisons pittoresques.
Au fond de l'image nous voyons la célèbre « Tour Bleue », le plus haut édifice de la ville et sa marque distinctive. Le quartier Wimpfen im Tal (« dans la vallée ») est dominée par l'église collégiale St-Pierre et St-Paul, fondée au temps des Othons.

PAGE 44/45. *Ludwigsburg* fut fondé par le duc Eberhard Louis, déplaçant sa résidence de Stuttgart. Le duc voulait imiter Versailles, offrant quinze années d'exemption d'impôts à ceux, qui voulaient bâtir une maison dans la nouvelle ville résidentielle. Le château somptueux de style baroque est un riche ensemble de 18 monuments au milieu du célèbre et charmant parc, réalisation magistrale et fastueuse du baroque, où l'on peut visiter chaque année l'exposition de horticulture « Blühendes Barock ». La place du Marché est (contrastant aux structures de Mannheim et de Karlsruhe) le milieu de la ville charmante conservée dans sa forme originale. L'aspect baroque de la ville est tellement dominant que l'on aperçoit à peine, que la ville est aussi un centre économique et industriel.

PAGE 46. Remarquablement situé sur un promontoire rocheux dominant de haut la contrée avec les coteaux plantés de vignes la forteresse *Hohenasperg* est ceinturée de murailles fortes. Le château fort est mentionné la première fois au 5e siècle. Le bâtiment actuel est édifié à partir de 1535 sous l'impulsion du duc Ulrich de Wurtemberg, extensions considérables, transformation en forteresse, qui était une prison d'état pour les détenus politiques, le poète Chr. F. D. Schubart y était dix années.

SEITE 47: Das Zisterzienserkloster *Maulbronn* wurde 1147 gegründet, die langgestreckte romanische Basilika wurde 1178 geweiht. Die folgenden Jahrhunderte brachten Ergänzungen und Erweiterungen, aber im wesentlichen hat sich das Kloster unverändert erhalten. Das Bild läßt einen Blick in den Kreuzgang tun. Die malerische kleine Kapelle in der Bildmitte, die den dreischaligen Brunnen umschließt, hat insofern besondere Bedeutung, als die Sage will, daß an dieser Quelle die ersten Mönche des späteren Klosters ihre Maultiere tränkten und so den Namen des Ortes initiierten.

SEITE 48: *Eberbach,* ein Städtchen am unteren Neckar, das sich eines längst vergangenen Ranges als Reichsstadt rühmen kann, war später Jahrhunderte hindurch kurpfälzisch, ehe es 1806 an Baden kam. An die ferne Zeit erinnern Türme alter Befestigungsanlagen und Reste einer Hohenstaufenburg.

SEITE 49: Das romantische Neckarstädtchen *Hirschhorn* hat seinen altertümlichen Reiz bis in die heutige Zeit erhalten. Das Giebelgeschachtel der Stadt wird überragt von der Kirche des ehemaligen Karmeliterklosters, das zahlreiche Schätze birgt. Über der Stadt thront der schöne Renaissancebau der Burg, von der aus man einen weiten Blick über den Fluß und das jenseitige Ufer hat.

SEITE 50: *Heilbronn,* einst Freie Reichsstadt und heute eine der jüngsten deutschen Großstädte, liegt rechts und links des Neckars mitten in einem bedeutenden Weinbaugebiet. 1944 weitgehend zerstört, verbindet die Stadt trotzdem viel alte Tradition mit allen Vorzügen moderner Stadtbaukunst. Am Marktplatz steht das wiederhergestellte Renaissancerathaus mit der berühmten Kunstuhr (Bild), die ebenfalls eine Rekonstruktion ist. Sie war eine Schöpfung von Isaak Habrecht (1580), der auch die Straßburger Münsteruhr und Kunstuhren in London, Kopenhagen und anderen Städten geschaffen hat. Ihre vielfältigen, kunstvollen Mechanismen bezaubern täglich eine staunende Besucherschar.

the fortress appear suitable as a prison for political delinquents. Amongst other famous persons, the "Sturm-und-Drang" poet, C. D. Schubart was obliged to spend ten years here.

PAGE 47: The Cistercian monastery at *Maulbronn* was founded in 1147, and the long Romanesque basilica was consecrated in 1178. In the following centuries various extensions and alterations were carried out but, essentially, the main building has remained the same. The photo shows a view of the cloister where it is particularly easy to follow the architectural development from Romanesque to Gothic. The picturesque little chapel which encloses the fountain has acquired a certain significance, since a legend claims that it is here that the first monks, who later founded the monastery, refreshed their mules here (German "Maul" = mule and bronn/Brunnen = fountain), thus giving the place its present name.

PAGE 48: *Eberbach,* a town on the lower Neckar, which can boast of having enjoyed the former rank of "Imperial City", was later Palatine for a number of centuries before the title was given to Baden in 1806. Towers of the old fortifications and the remains of a Hohenstaufen castle remind one of times past. The town on the estuary of the Itter valley is today a focal point in its surroundings, with law courts and schools, Neckar commercial port, and industrial enterprises.

PAGE 49: The romantic little town of *Hirschhorn* on the Neckar has preserved its archaic charm right up to the present day. The town's multiplicity of gables, resembling a house of cards, is towered over by the church of the former Carmelite convent which houses innumerable treasures. In the refectory the entire paintings attributed to Jörg Ratgeb have been preserved. Reigning over the town is the beautiful Renaissance castle, from which one has a panoramic view across the river to its far bank.

PAGE 50: *Heilbronn,* a former independent "Reichsstadt" (until 1806) has developed into a large modern German city today. It lies on the right and left banks of the Neckar in the midst of an important wine-growing area. Although much of the town was destroyed in 1944, old traditions have been retained in conjunction with the advantages of modern city planning. On the market place there stands

PAGE 47. L'abbaye cistercienne *Maulbronn,* fondée en 1147 se trouve dans la vallée de la Salzach. L'abbatiale (à partir d'une basilique romane, fondée en 1178 ; fréquentes transformations et restaurations) est en bon état de conservation. Le couvent a été sécularisé en 1530, dès 1538 il est siège d'un séminaire. Voilà le cloître avec la voûte en arête ; la petite chapelle pittoresque de la fontaine est le centre de l'abbaye. La légende dit, que les premiers moines y ont abreuvés leur mulets et que c'était l'origine du nom de l'abbaye.

PAGE 48. *Eberbach,* une petite ville charmante du Neckar, a été ville libre impériale, puis elle appartenait au Palatinat Electoral, depuis 1806 à Bade. Les tours-bastions des enceintes et les vestiges d'un château fort des Hohenstaufen sont des témoins de la période d'épanouissement : haut-Moyen-Age et Renaissance.

PAGE 49. La petite ville charmante *Hirschhorn* sur le Neckar a conservé son aspect moyenâgeux, nombreuses vieilles et pittoresques maisons serrées les unes tout près des autres, les venelles et les rues montent jusqu'à l'ancienne abbaye des Carmes avec son trésor artistique : fresques murales, sommets de la statuaire et de la sculpture. Dominant de haut la ville et la contrée l'ancien château des seigneurs Hirschhorn (aujourd'hui hôtel). Le beffroi gothique a été transformé en château de style Renaissance (1583-86). La plus ancienne partie du château c'est l'enceinte (environs de 1200). On y jouit d'une magnifique vue panoramique sur le fleuve et les environs.

PAGE 50. *Heilbronn,* une ancienne ville libre impériale, a pris naissance à l'intersection de voies de circulation importantes. La cité médiévale ayant été très endommagée au cours de la dernière guerre mondiale, Heilbronn est aujourd'hui une grande ville moderne sur les deux rives du Neckar au milieu d'un pays de vignobles. Les sommets architecturals ont été reconstruits. A retenir parmi les nombreux monuments : l'église paroissiale St-Kilian et l'hôtel de ville (édifié en 1417, construction gothique avec un fronton Renaissance richement ornementé du 16e siècle). L'horloge célèbre était une création de l'horloger fameux Isaak Habrecht (1580) qui a construit l'horloge de la cathédrale de Strasbourg et beaucoup d'autres, par exemple à Londres et à Copenhague. Le mécanisme du carillon est une attraction séduisante, son activité quotidien fait plaisir aux spectateurs.

SEITE 51: Die Spargelstadt *Schwetzingen* liegt mitten in der Kulturlandschaft der ehemaligen Kurpfalz. Der Schwetzinger Park ist einmal der schönste Schloßgarten Deutschlands genannt worden. Kurfürst Carl Theodor, der vielseitige Schöpfer und Anreger, ließ sich in der Mitte des 18. Jh. seine Sommerresidenz in Schwetzingen errichten und hinterließ eine Anlage, die auch in unserer Zeit noch bewundernswert ist. Das Bild zeigt einen Blick aus dem von einem Landschaftspark umgebenen, französisch verspielten „Parterre" auf das Schloß. Die beiden Hirschgruppen von P. A. Verschaffelt zählen in ihrer Lebensechtheit zu den besten Skulpturen des Parks.

SEITE 52/53: *Heidelberg* – das Schloß, angestrahlt in einer Winternacht und gelöst aus der vertrauten Umgebung. Eine Vision, die allerdings rasch wieder Verbindung mit der Wirklichkeit findet, wenn man sich der Vergangenheit erinnert und sich vergegenwärtigt, wie eng die Beziehungen zwischen Schloß und Stadt waren. Kurfürst Ruprecht I. gründete 1386 die Universität. Sie verlieh der Stadt einen Glanz, der bis heute leuchtet und wesentlich das einzigartige Ambiente der Neckarstadt mitgeschaffen hat. Dazu gehört die Alte Brücke ebenso wie die Heiliggeistkirche, der Marstall wie der „Ritter", die als einzige Profanbauten den Brand von 1693 überstanden haben und das Rathaus. Die Zeit nach dem 2. Weltkrieg hat Heidelberg in andere Maßstäbe wachsen lassen. Auch unsere Zeit setzt Akzente, schafft eine neue Urbanität, zu der die Studenten wie eh und je das ihre beitragen.

SEITE 54/55: *Mannheim* – Luftbild und Stadtplan könnten deutlich machen, worin die Besonderheit der großen Stadt im Winkel zwischen Rhein und Neckar liegt. Regelmäßig, nach einheitlichem Konzept gestaltet und ganz auf das kurfürstliche Schloß bezogen, ist die heutige City ein Kind des Barock. Auch als Kurfürst Carl Theodor Mannheim mit München vertauschte, blieb der höfische Abglanz erhalten, gemischt freilich mit dem immer stärkeren Leuchten bürgerlicher Emsigkeit und Wohlhabenheit. Mannheim ist heute einer der größten Binnenhäfen Europas. Mit dem Hafen wuchsen Industrie und Handel – der Name der Stadt hat einen guten Klang in der Welt. Es ist aber nicht der Kommerz allein, der ihr Gesicht prägt. Seit je ist Mannheim auch ein kultureller Mittelpunkt. Hoch- und Fachschulen, Theater und Museen zeu-

the restored Renaissance town hall with the famous clock, as illustrated. Although it is also a reconstruction, it was originally the work of Isaak Habrecht (1580) who also made the cathedral clock in Strasbourg as well as a number of other chronometrical works of art in London, Copenhagen and other cities.

PAGE 51: The town of *Schwetzingen* (famous for its asparagus) is located right in the cultural centre of the former Palatinate. It has been claimed that the "Schwetzinger Park" is one of the most beautiful castle grounds in Germany. As a matter of fact, nature and art have been blended together here in a manner which is unique. The Elector Carl Theodor, an initiator of creative genius, commissioned the building of a summer residence in Schwetzingen in the middle of the eighteenth century and thus left to posterity a palace and grounds which are still greatly admired today. The photo shows a view of the castle as seen from the "parterre" surrounded by a park landscape. The two groups of stags, works of P. A. Verschaffelt, are regarded as the best, most lifelike sculptures in the park.

PAGES 52/53: *Heidelberg*, here the castle, floodlit on a wintery evening, appears to be drifting away from its customary surroundings. This vision is only an illusion, however, since there are very strong physical ties between the castle and the town, as past history serves to remind us. Elector Ruprecht I founded a university here in 1386 which has always lent the town, through good and bad times, an undeniable prestige which is still felt today. It has contributed, perhaps more than anything else, to the singular environment peculiar to Heidelberg. The same can also be said of the old bridge over the Neckar, the Church of the Holy Spirit, the "Marstall" and the "Ritter" (the only two secular buildings which survived a great fire in 1693), and the town hall. As elsewhere, the postwar years lent a different face to the old town on the Neckar. Modern times have set new accents, introduced a pronounced urban atmosphere which is characterized by the presence of so many undergraduates.

PAGES 54/55: *Mannheim* – an aerial photograph or a plan of the town show quite clearly what is so special about this large city which lies between the Rhine and the Neckar. Laid out according to a regular plan and grouped around the castle, the city centre of present-day Mann-

PAGE 51. La ville *Schwetzingen* se trouve au milieu de l'ancien Palatinat Electoral. Le château de Schwetzingen reflète une évolution de plusieurs siècles qui fit du castel d'eau moyenâgeux un vaste édifice à ailes latérales au milieu d'un célèbre et charmant parc. C'était la résidence estivale de l'électeur Carl Theodor sous l'impulsion duquel l'édifice fut établie (moitié du 18e siècle). Voilà le château avec son splendide parc (ordonnance des parcs classiques à la française). Pendant les mois de mai et de juin on donne des pièces composées pour une fête dans ce jardin féerique.

PAGE 52/53. L'histoire de la ville *Heidelberg* commence avec Louis de Wittelsbach, qui devint comte palatin en 1226. Heidelberg était la résidence de cette dynastie jusqu'à ce qu'elle allait s'établir à Mannheim. L'université de Heidelberg, fondée en 1386 sous l'impulsion de l'électeur Ruprecht III, était célèbre dans le monde entier. La ville est dominée par le château somptueux, périodes d'épanouissement : gothique et Renaissance notamment les années de 1544 à 1632 avec des extensions considérables : Ott-Heinrichsbau, Friedrichsbau. A retenir parmi les nombreux monuments de la ville : Le vieux Pont (Alte Brücke), l'église gothique du Saint-Esprit (avec le caveau du fondateur de l'université Ruprecht III, † 1410 et de sa femme), l'écurie et la « Maison au chevalier » avec une statue de St-Georges, édifiée en 1592 (Renaissance) et l'hôtel de ville. Heidelberg n'a pas été endommagé au cours de la dernière guerre mondiale. La ville et l'université sont agrandies considérablement pendant les dernières années.

PAGE 54/55. La vue à vol d'oiseau nous montre ses structures de la cité de la ville résidentielle de *Mannheim* entre le Rhin et le Neckar, construite en 1606 à la manière d'une œuvre d'art sur un plan d'éventail à l'entourage du château de l'électeur Frédéric IV (un échantillon typique d'urbanisme à l'époque baroque), dessins de l'architecte néerlandais Bartel Janson. L'apogée de la ville finit par la sortie de l'électeur Charles Théodor, qui devint en 1778 électeur de la Bavière et s'en allait à Munich. Cependant Mannheim restait une ville de la cour mais aussi une ville assidue, un centre du commerce et de l'industrie. Son port est un des plus grands de l'Europe. Mannheim est aussi un centre culturel et artistique. Beaucoup d'hommes célèbres y ont vécu : Fr. v. Schiller, August v. Kotzebue, Karl

gen davon, nicht zuletzt auch die rege Bautätigkeit unserer Zeit, die dem alten Bestand neue Akzente hinzufügt. Glanzpunkt aller Mannheimer Architektur ist das Schloß (Bild), das zwischen 1720 und 1760 unter den Kurfürsten Carl Philipp und Carl Theodor errichtet wurde. Das Bild zeigt den Mittelbau, das Corps de logis, mit dem kurpfälzischen Wappen aus Bronze. Das nach den schweren Zerstörungen des 2. Weltkrieges wiederaufgebaute Schloß dient heute verschiedenen Zwecken, vor allem ist es Sitz der Universität und des Amtsgerichts.

SEITE 56: Die Bürger der industriereichen Stadt *Esslingen* am Neckar sind von jeher fleißige Leute gewesen. Fast 600 Jahre lang haben sie in einer Freien Reichsstadt gelebt und dabei ein gesundes Selbstbewußtsein entwickelt. Sie haben sich weithin Anerkennung verschafft und konnten es sich leisten, großzügig zu bauen. Im Zentrum der Stadt steht die zweitürmige Stadtkirche St. Dionys, in der sich romanische und frühgotische Stilelemente vereinigen (rechts im Bild). Nur wenig jünger ist die Frauenkirche (links), deren 75 m hohen Filigranturm kein Geringerer als Ulrich von Ensingen, der Meister der Münsterbauten von Ulm und Straßburg, entworfen hat.

SEITE 57: Die hübsch über dem Neckar gelegene Stadt *Nürtingen,* heute von einer regen Textilindustrie geprägt, wird überragt von der Stadtkirche St. Laurentius. Ein mächtiges Gebäude ist das Rathaus aus dem 16. Jh., ein verputzter Fachwerkbau mit vorkragendem Obergeschoß unter einem schweren Dach. Besondere Erwähnung verdienen zwei reizvolle Brunnen, die dem Stadtbild Kolorit geben: der rocaillegeschmückte Wildemann-Brunnen und der schmiedeeiserne Marktbrunnen, beide aus dem frühen 18. Jh.

SEITE 58: *Horb* liegt am Ostabfall des Schwarzwalds auf einem schmalen Bergrücken, der sich über dem Neckar erhebt. Das malerische Städtchen ist fast ein Jahrtausend alt und war mehreren Herren untertan. Die Silhouette der Stadt gipfelt in der Hl.-Kreuz-Kirche und dem „Schurkenturm", der ein Überrest der früheren Burg ist.

heim still reveals its baroque origins. Even when the Elector Carl Theodor decided to "exchange" his residence for one in Munich, the splendour of the royal court remained for a long time although, it is true, the industry and prosperity of the citizens began to win the upper hand. Mannheim is, today, one of the largest inland ports on the Continent. As the harbour facilities grew, manufacture and commerce likewise expanded. It would be untrue to say that trading was the only activity which Mannheim was interested in. Mannheim has also been an important cultural centre for many many years. University and technical college, theatres and museums as well as exemplary architecture are evidence that the citizens have got other things in mind, too. The most important work of earlier architecture is the castle (photo) which was built between 1720 and 1760 by various architects under the direction of Elector Carl Philipp and Carl Theodor and is, indeed, one of the most extensive palaces of this kind. The photo shows only the central part, the "corps de logis", with the coat of arms of the Elector made of bronze. Although severely damaged in the Second World War, the castle has been restored and now serves several purposes, housing, for example, the university and the law courts.

PAGE 56: The citizens of the industrial town *Esslingen* on the Neckar have always been hard-working people. For almost 600 years they lived in a free town of the Reich and therefore developed a healthy self-assurance. They have secured recognition from far afield and could afford to build generously. In the centre of the town is the twin-steepled church of St. Dionysius, in which Roman and Early-Gothic elements of style are united (on the right in the picture). Only a little bit later is the Church of Our Lady (left), whose 75-metre-high filigree steeple was designed by none other than Ulrich von Ensingen, the master architect in charge of building the cathedrals of Ulm and Strasbourg.

PAGE 57: *Nürtingen*, an attractive town situated on the Neckar, is dominated by the church of St. Laurentius. Today life in the town is characterized by a flourishing textile industry. One of the largest civic buildings in the town is the sixteenth century town hall, a lath and plaster building with projecting top storey under a heavy roof. Two fountains which lend an individual atmosphere to the town are worth

Drais et Carl Benz. Aujourd'hui Mannheim est une ville universitaire, où il y a des théâtres et des musées (par exemple le Reis-Museum, ethnographie et arts et métiers). On y trouve des échantillons de l'architecture ancienne et nouvelle. Le château (image), bâti entre 1720 et 1760 sous l'impulsion des électeurs Charles Philippe et Charles Théodor, est un fleuron du baroque (plus de 400 chambres et salles avec 2000 fenêtres !). Voilà l'aile moyenne (le « Corps de logis ») avec le blason électoral en bronze. Le château, très endommagé au cours de la dernière guerre mondiale, a été fort bien reconstruit et il est aujourd'hui siège de l'université et du tribunal de première instance.

PAGE 56. La ville industrielle *Esslingen* a sa tradition : Vers 800 Esslingen devint Marché ; droit municipal de 1212. Esslingen était ville libre impériale, où l'on trouve beaucoup de pittoresques maisons à pans de bois, même l'hôtel de ville de 1430 est une construction à pans de bois du gothique tardif. Le centre de la ville est dominé par l'église St-Denis (à droite) ; fréquentes transformations et restaurations, transition entre le roman tardif et le gothique. A gauche nous voyons l'église Notre-Dame gothique avec sa tour filigrane (75 mètres de hauteur), bâtie par Ulrich et M. Ensinger (architectes des cathédrales de Strasbourg et d'Ulm), vitraux magnifiques de 1320–30.

PAGE 57. La petite ville de pittoresque aspect *Nürtingen*, remarquablement située au-dessus du Neckar, aujourd'hui centre de l'industrie textile, est dominée par l'église paroissiale St-Laurent. L'hôtel de ville (16e siècle) est une puissante construction, un édifice à pans de bois crépi. A retenir parmi ses monuments les fontaines charmantes : La Fontaine de l'Homme Sauvage (rocaille) et la Fontaine du Marché de fer forgé, l'une et l'autre de la première moitié du 18e siècle.

PAGE 58. *Horb* au bord de la Forêt-Noire, remarquablement situé sur un promontoire étroit au-dessus du Neckar, est une petite ville pittoresque, vieille d'à peu près mille années – un riche ensemble féodol fort bien conservé : ceinture de murailles fortes et de formidables tours-bastions et flanqué de quatre portes. La ville charmante est dominée, tant sur le plan du site que sur celui de l'importance par la puissante tour « Schurkenturm » (vestige de l'ancien château fort) et de l'église collégiale de la Sainte-Croix.

SEITE 59: *Urach* zeigt allen Zauber der alten schwäbischen Kleinstädte. Im 15. Jh. war Urach vorübergehend Residenzstadt. Unter dem Grafen Eberhard erlebte es eine Blütezeit. Von damals stammt auch die vielgerühmte Residenz, ein Bau aus dem Jahr 1443, dessen reich ausgestatteter Goldener Saal noch heute ein wirklicher Prunkraum ist. Die Stadt erfreut sich vieler schöner Fachwerkbauten, allen voran das Rathaus; davor steht der schlanke, turmartige Marktbrunnen mit kunstvollen Figuren unter Baldachinen.

SEITE 60/61: Kardinal-Fürstbischof Damian Hugo von Schönborn aus der rheinischen Uradelsfamilie, der wir so manches großartige Barockschloß verdanken, ließ sich im frühen 18. Jh. in der alten Stadt *Bruchsal* eine weitläufige neue Residenz errichten und gewann dafür mit Maximilian von Welsch einen der bedeutendsten Barockarchitekten. Nach einem Luftangriff 1945 wurde das Schloß in der folgenden Zeit wiederaufgebaut. Restauriert wurde u. a. auch das unvergleichliche Treppenhaus von Balthasar Neumann. Das Bild zeigt das 1738 von ihm entworfene Torwachthaus, dahinter den fürstbischöflichen Kanzleibau (1729), der heute als Amtsgericht dient.

SEITE 62: Von der wehrhaften alten Reichsstadt *Reutlingen* ist beim großen Stadtbrand von 1726 vieles zu Asche geworden. Was übrig blieb, ist heute malerisches Wahrzeichen: so das wuchtige Tübinger Tor, der Maximiliansbrunnen (Bild) vor dem Alten Spital, der Lindenbrunnen, der schöne Fachwerkbau des Spendhauses und manches andere Fachwerkhaus. Vor allem aber steht die Marienkirche (im Hintergrund des Bildes), eine der schönsten Schöpfungen der Hochgotik in Schwaben. Dazwischen aber, charakteristisch für das Reutlingen unserer Tage, Bauten, die Zeugnis geben von der fortschrittlichen Gesinnung einer traditionsreichen Stadt: das Rathaus etwa oder die Friedrich-List-Halle. Die Stadt ist heute Standort weltbekannter Industrien und bedeutender Forschungsinstitute.

mentioning, the Rococo decorated Wildemann Fountain and the wrought-iron Market Fountain – both from the early eighteenth century.

PAGE 58: *Horb* is situated on the eastern slopes of the Black Forest on a narrow ridge which looks down on the river Neckar. The picturesque little town is almost 1000 years old and was subject to the rule of several different sovereign houses. The silhouette of the town is crowned by the Church of the Holy Cross and the "Schurkenturm" which is all that remains of the former fortress.

PAGE 59: *Urach* is typically rich in the mysterious charm of the old Swabian towns. In the fifteenth century Urach was a royal residence for a short time. Under the rule of Count Eberhard it experienced a heyday. The much-praised Residence dates from this period (actually 1443) and visitors can still admire there today the richly decorated "Golden Room". The city is also lucky to still possess many beautiful timber-framed houses, especially around the town hall.

PAGES 60/61: Cardinal Prince-Bishop Damian Hugo of Schönborn, a descendent of an ancient aristocratic family from the Rhine, to whom we owe the existence of many a magnificent baroque castle, decided to build an extensive new residence in the old town of *Bruchsal* and managed to obtain Maximilian von Welsch for the project, one of the most important baroque architects of that time. As a consequence of an air-raid in 1945, the castle was damaged and had to be restored in the following years. One of the parts requiring restoration was the unique entrance hall designed by Balthasar Neumann. The photo shows the guard house designed by him (1738), and behind this the Chancery of the Prince-Bishop (1729) which serves today as a district court.

PAGE 62: After a great fire in 1726, not much remained of the old fortified "Reichsstadt" of *Reutlingen*. That which was not reduced entirely to ashes has become a picturesque landmark: the mighty Tübinger Gate, the Maximilian Fountain (photo) in front of the Old Infirmary, the Linden Fountain, the beautiful framework of the Alms House and many other timber-framed houses in the town. Fortunately St. Mary's Church (in the background of the photo), one of the most magnificent creations in the Gothic style in Swabia, has also survived the ravages

PAGE 59. Bel échantillon des petites villes de la Vieille Souabe *Urach* e été la résidence des ducs de Wurtemberg au 15e siècle. Le château édifé à partir de 1443 sous l'impulsion du duc Eberhard (avec la barbe) est aujourd'hui musée. Dans le deuxième étage se trouve la « Salle d'or », une grande curiosité fastueuse. Autres monuments intéressants de la ville : nombreuses maisons pittoresques à pans de bois, à signaler particulièrement l'hôtel de ville (1562) et l'ancienne église collégiale St-Amand (1477 – 1500) fondée sous l'impulsion du duc Eberhard, fréquentes transformations et restaurations, vitraux fameux). Sur la place du Marché se trouve la Fontaine du Marché (1495 – 1500) avec une statue de St-Christophe.

PAGE 60/61. Le prince-évêque (cardinal) Damien Hugues de Schönborn (de la famille noble rhénane, sous l'impulsion de laquelle beaucoup de grandioses constructions baroques ont été édifiées, (notamment le célèbre château Pommersfelden près de Würzburg) a fondé en 1722 une nouvelle résidence magistrale et fastueuse dans l'ancienne ville *Bruchsal*, un riche ensemble de 50 monuments (à partir du Corps de Logis à trois ailes). Un des architectes était Maximilian von Welsch ; splendides intérieurs (cage d'escalier monumental, construction magistrale du célèbre architecte Balthasar Neumann, la salle des princes avec les portraits des évêques des Spire d'une somptueuse prodigalité). Après les destructions de 1945 le château fastueux a été reconstruit. Voilà la maison du gardien de la porte édifiée par Balthasar Neumann en 1738 et la chancellerie des princes-évêques (bâtie 1729), aujourd'hui tribunal de première instance.

PAGE 62. L'ancienne ville libre impériale *Reutlingen* apparaît dans l'histoire au 11e siècle quand quatre communes fusionnent, droit du marché 1182, droit municipal 1209, construction de la Ville Neuve sous l'impulsion de l'empereur Frédéric II. De la cité médiévale ayant été brûlée en 1726 sont restés quelques monuments intéressants : les vestiges de l'enceinte avec la Tour de Tübingen, la Fontaine du Marché (Fontaine de Maximilien, illustration) avec la statue de l'empereur Maximilien II (1570) devant l'ancien hôpital, la Fontaine des Tilleuls (1544, l'original se trouve dans le musée folklorique dans un ancien couvent), la pittoresque maison à pans de bois Spendhaus et beaucoup d'autres maisons de ce genre et surtout la cathédrale Notre-Dame

SEITE 63: Wahrzeichen der kleinen Stadt *Haigerloch* an der Eyach im Zollernalbkreis ist das auf einer Felsnase sich erhebende Schloß mit der sich südlich anschließenden Schloßkirche. Schloß und Kirche sind um die Wende vom 16. zum 17. Jh. entstanden und gehen in ihrem Kern auf eine mittelalterliche Burg zurück. Das ungewöhnlich eindrucksvolle Bild, das die Gesamtanlage bietet, ist hervorgerufen durch die Überhöhung der natürlichen Gegebenheiten, die sich in deutlichem Kontrast zur Bürgerstadt zu ihren Füßen bringt.

SEITE 64: Burg *Lichtenstein* nahe dem Dorf Honau verdankt ihr heutiges Erscheinungsbild gewissermaßen einem Roman. Nach dem Erscheinen des bekannten Buches von Wilhelm Hauff, den die einzigartige Lage der kleinen Burg auf steilem Felsen über dem Echaztal zu seinem Stoff geführt hatte, wurde im vergangenen Jahrhundert die Ruine der alten Burg abgetragen und durch einen märchenhaft-romantischen Neubau ersetzt. Die Burg beherbergt heute eine Kunstsammlung.

SEITE 65: *Balingen* liegt am Rand der Schwäbischen Alb an der Eyach. Der Ort wird 883 erstmals erwähnt und erhält 1255 Stadtrecht. Er gehörte einst zur zollernschen Herrschaft Schalksburg, die 1403 an Württemberg geht und bald zum Amt Balingen erweitert wird. Bis 1752 war es Sitz der adeligen Obervögte. Deren Residenz, das alte Zollernschlößchen von Balingen (auf dem Bild zusammen mit dem Wasserturm) birgt heute als Besonderheit das größte Waagenmuseum des Kontinents, eine Fundgrube für Kenner.

SEITE 66: Die *Schwäbische Alb* hat viele Gesichter. Neben freundlichen Tälern finden sich, besonders an der Nordseite, rauhere Gegenden mit Höhen bis über 800 m. Die Bäume dort oben, zwischen felsdurchsetzter Grasnarbe und Wacholderbüschen, müssen Sturm aushalten. Das Bild zeigt eine Hochfläche beim hübsch gelegenen Albdorf *Ochsenwang* zwischen Albstraße und der Autobahn von Ulm nach Stuttgart.

of time. In between these noble edifices, however, we find, today, modern works of architecture. This is a sign that, although tradition counts in Reutlingen, the authorities are progressive minded. Examples are the town hall or the Friedrich List Hall. Reutlingen is today the seat of well-known industrial firms and important research institutes.

PAGE 63: Landmark of the little town *Haigerloch* on the Eyach in the region of Zollernalb is the castle which sits atop a rocky promontory and which is adjoined by the castle church. Castle and church originate from around the turn of the 16th and 17th centuries and they are built on the site of an even earlier castle which dates back to medieval times. The unusually impressive picture offered by the whole complex is created by its elevated position on natural rock which places the town at the foot of the castle in stark contrast to it.

PAGE 64: *Lichtenstein Castle*, situated not far away from the village of Honau, owes its present landmark, one might say, to a novel. Following the appearance of the well-known book written by Wilhelm Hauff, who had drawn his inspiration from the unique location of the little castle on the steep cliffs above the Echaz Valley, the ruins of the old fortress were removed in the nineteenth century and replaced by a romantic, fairy-tale castle.

PAGE 65: *Balingen* lies on the edge of the Swabian Alb on the Eyach. The spot was first named in 883 and received civic rights in 1255. It belonged at one time to the Zollern dominion Schalksburg which went to Wurtemberg in 1403, and was later extended to become the "administrative district" of Balingen. Until 1752 it was the seat of the Obervögte nobles. The residence of the latter, the quaint old Zollern castle "Balingen" (in the picture along with the water tower) today houses, as its rare speciality, the largest weighing-machine museum on the Continent – a treasure-trove for connoisseurs.

PAGE 66: The *Swabian Mountains* have many aspects. Apart from peaceful valleys, you will find, especially on the northern side, inhospitable areas with peaks rising to over 2620 ft. The trees at such an altitude, rooted in the scanty soil between rocks, have to withstand violent storms. The picture shows a high-lying meadow near the pretty little mountain village of Ochsenwang.

(dans l'arrière-plan de l'image), l'une des plus grandioses constructions du gothique flamboyant en Souabe, fondée probablement en 1247. Après les destructions de la dernière guerre mondiale la ville présente aujourd'hui des échantillons de l'architecture moderne : l'hôtel de ville et le hall « Friedrich List ». La ville est de nos jours un centre de l'industrie textile.

PAGE 63. La marque distinctive de la petite ville *Haigerloch* sur l'Eyach dans la région Zollernalbkreis est le château remarquablement situé sur un promontoire rocheux ainsi que l'église du château voisine. Le château a été édifié en 1580 sur l'emplacement d'un château fort médiéval (environs de 1200), l'église fut bâtie de 1584 à 1609 (décoration intérieure rococo de haute valeur artistique). Le riche ensemble féodal domine la petite ville charmante tant sur le plan du site que sur celui de l'importance.

PAGE 64. Le château fort *Lichtenstein*, remarquablement situé sur un plateau tombant à pic (813 mètres de hauteur) au-dessus de la vallée Echaz, est la reconstitution d'un château féodal moyenâgeux, né de la description romantique dans le roman du poète Wilhelm Hauff « Lichtenstein » (1826). La construction (à partir des vestiges de l'ancien château fort) fut entreprise au 19e siècle. L'édifice néogothique s'entoure de la magique atmosphère des contes. Dans le bâtiment romantique on peut faire l'inspection d'une collection d'objets d'art.

PAGE 65. *Balingen* sur l'Eyach se trouve au bord de la chaîne de montagnes Schwäbische Alb. Le village est mentionné la première fois en 883 et reçoit le droit municipal en 1255. La petite ville fait partie de la domaine Schalksburg, possession de Wurtemberg dès 1403 (bailliage Balingen), jusqu'à 1752 siège des prévôts nobles. Dans leur résidence, le château Zollernschlößchen (15e siècle) se trouve aujourd'hui un musée de balances.

PAGE 66. La chaîne de montagnes *Schwäbische Alb* est un paysage pittoresque d'une grande multiplicité : A côté des vallées douces on y trouve (surtout à la pente nord) des contrées sauvages avec des hauteurs (plus de 800 mètres). Les arbres et les genévriers là-haut sont capables de persévérer même dans la tempête. Voilà un plateau près du village *Ochenswang* entre la route Albstraße et l'autoroute entre Ulm et Stuttgart.

SEITE 67: Weithin wahrnehmbar erhebt sich am Rand der Schwäbischen Alb bei Hechingen der *Hohenzollern*, der geradezu prädestiniert scheint für jene ritterliche Anlage, die die Stammburg der späteren Könige von Preußen war. Den vieltürmigen Bau allerdings, den wir heute sehen, ließ ein später Nachfahre der alten Ritter bauen, nämlich Friedrich Wilhelm IV., der um die Mitte des 19. Jh. den Anstoß zu so manchen Rekonstruktionen alter Schlösser und Burgen gab. Verständlich, daß der Wiederaufbau im historisierenden Stil der Zeit erfolgte, wenn auch Reste der alten Anlage verwendet wurden.

SEITE 68: *Schwäbisch Gmünd* – vor über 800 Jahren die erste Stadtgründung der Staufer – ist ein Kleinod unter den Städten des Schwabenlandes. Der Martkplatz im Herzen der Stadt ist gesäumt von behäbigen barocken Bürgerhäusern. Der Marienbrunnen (Bild), mit Geschlechterwappen verziert, ist sehenswert vor allem durch seine auf bauchiger Säule stehende doppelseitige Barockmadonna, die nach beiden Seiten den Marktplatz überschaut. Nur ein paar Schritte sind es zum Heilig-Kreuz-Münster, das im 14. Jh. von der berühmten Baumeisterfamilie der Parler erbaut wurde. Diese größte gotische Hallenkirche Süddeutschlands gewann besondere Bedeutung für die Entwicklung der spätgotischen Architektur und Bauplastik in Deutschland.

SEITE 69: Das Luftbild von *Ellwangen* an der Jagst zeigt eine geradezu klassische Stadtanlage: der weite Marktplatz wird auf der einen Seite von Stiftskirche, Jesuitenkirche und Kolleggebäude begrenzt, auf der anderen Seite umfassen ihn im Halbkreis hochgiebelige bürgerliche Häuser. Wir sehen den mächtigen Bau der Stiftskirche von Südosten. Ihre kraftvollen Türme über dem hohen, ebenmäßigen Kreuz von Lang- und Querschiff bestimmen das Bild. Die Jesuitenkirche, später entstanden, drängt sich von Westen heran und verschwindet fast hinter der Stiftskirche. An sie schließt sich der langgestreckte Kollegbau an.

PAGE 67: On the periphery of the Swabian Mountains, visible a long way off, stands the *Castle of Hohenzollern* near Hechingen. The knightly fortress seemed a very fitting ancestral home for the later kings of Prussia. However, the building crowned with many towers, as we find it today, was commissioned by a later descendant of the old knights, namely Friedrich Wilhelm IV. "Frederick William of Prussia" was, in fact, responsible for the reconstruction of many an old castle around the middle of the nineteenth century. It is understandable that reconstruction work took place in the contemporary historical style even though parts of the old building were used. After the Second World War, the coffins of Frederick William I and of Frederick William II "the Great" were transferred to the new Gothic Protestant chapel.

PAGE 68: *Schwäbisch Gmünd* – this was the first town founded by the House of Staufer over eight hundred years ago. It is a veritable treasure-trove amongst the towns of Swabia. The market place in the centre of the town is surrounded by baroque houses of former well-to-do citizens. The fountain of St. Mary (photo), richly decorated with ancestral coats of arms, is worth seeing on account of the double-sided baroque Madonna which commands a view of both sides of the market place. It is only a few paces to the Cathedral, Heilig-Kreuz Münster, which was built by the famous family of masons, Parler, in the fourteenth century. This is one of the largest Gothic churches in Southern Germany and it played an important role in the development of the so-called late-Gothic style which is particularly characteristic of German church architecture.

PAGE 69: This aerial view of *Ellwangen* on the river Jagst reveals that the town has a layout of almost classical plan. The wide market place is confined on one side by the Cathedral, the Jesuit Church and the collegiate building, and on the other side it is encompassed by a semicircle of tall gabled houses. Here the mighty nave of the cathedral is seen from the south-east. The stalwart towers rising above the evenly-proportioned transept and nave dominate the scene. The Jesuit Church, which was built at a later date, thrusts in from the west and then almost disappears behind the cathedral. The long collegiate building adjoins the latter. The former collegiate town hall, which pro-

PAGE 67. Remarquablement situé sur un plateau au bord de la chaîne de montagnes Schwäbische Alb près du village Hechingen est le château *Hohenzollern* est le berceau de la dynastie des rois de Prusse. Les princes de Hohenzollern y résidaient depuis 1623. Impression moyenâgeuse de haut goût, mais c'est une reconstitution d'un château féodal en néogothique (19e siècle) édifiée sous l'impulsion de roi Frédéric-Guillaume IV avec incorporation de parties anciennes. La chapelle néogothique est aujord'hui le caveau des rois de Prusse Frédéric-Guillaume I et Frédéric le Grand.

PAGE 68. *Schwäbisch Gmünd*, l'ancienne ville libre impériale, fondée par la dynastie des Staufer (Gibelins) est caractérisée surtout par son aspect moyenâgeux. La ravissante place du Marché au milieu de la ville que bordent les maisons de la bourgeoisie aisée en style baroque est digne d'être visitée. On y trouve la « Fontaine de la Vierge » ornée de blasons ; sur une colonne épaisse une statue double de la vierge est érigée. Tout près se trouve la cathédrale de la Sainte-Croix : noyau roman incorporé à la construction gothique (édifiée de 1310 à 1410, une œuvre principale de la célèbre famille Parler), la plus grande église de type halle de l'Allemagne méridionale, sommets de la statuaire et de la sculpture allemandes. Autres remarquables édifices : la basilique St-Jean (style roman tardif, 13e siècle), l'hôtel de ville et beaucoup de vieilles maisons à pans de bois.

PAGE 69. La vue à vol d'oiseau nous montre les structures de l'ancienne ville *Ellwangen* sur la Jagst, que se développait à partir de 1146 autour de l'ancienne abbaye et l'église collégiale qui bordent une part de l'avenante place du Marché, l'autre part est bornée de belles maisons bourgeoises avec des frontons richement ornementés, à l'étagement pittoresque. Nous voyons l'ancienne église collégiale aujourd'hui église paroissiale (édifiée sur l'emplacement des églises du 8e et du 11e siècle, en grande partie de 1233, décoration intérieure baroque de haute valeur artistique de 1737/41) du sud-est. Elle est caractérisée par les deux tours puissantes. L'église des Jésuites voisine (1721) et le collège ainsi que l'ancienne maison des chanoines (bâtie en 1748, dessins de Balthasar Neumann), aujourd'hui tribunal régional sont des remarquables édifices bordant la place du Marché.

SEITE 70: *Neresheim* am Ostrand der Schwäbischen Alb ist berühmt durch das auf einer Höhe über der Stadt liegende Benediktinerkloster. Die Kirche, das letzte Werk Balthasar Neumanns, wurde von 1745 an errichtet. Sie ist ein in seiner künstlerischen Konzeption vollendetes Bauwerk. Nicht weniger als sieben Kuppeln überspannen das Langhaus und das kurze Querschiff. Die technische Durchführung allerdings verließ die Pläne des inzwischen verstorbenen Meisters. Holz wurde anstelle von Stein verwendet. Dies führte im Lauf der Zeit zu schweren Schäden. Wiederholte Ausbesserungen brachten nur vorübergehend Hilfe. 1966 wurde die Kirche baupolizeilich geschlossen. Inzwischen wurde mit allem Raffinement moderner bautechnischer Mittel eine Erneuerung von Grund auf durchgeführt, so daß die Kirche heute wieder zugänglich ist und sich im alten Glanz zeigt.

SEITE 71: *Schwäbisch Hall* gab dem Heller seinen Namen. Die traditionsreiche Stadt war Münzstätte des alten Deutschen Reiches. Sie war und ist eine der schönsten deutschen Städte. Davon zeugt nicht allein das spätbarocke Rathaus an der Westseite des Marktplatzes (Bild), das 1735 vollendet wurde. Da stehen in der Runde die Michaelskirche mit ihrer großen Freitreppe und eine Reihe von Patrizierhäusern, von denen eines immer schöner ist als das andere. Kein Wunder, daß der Platz die Kulisse abgibt für Freilicht-Festspiele, die weit über Deutschlands Grenzen hinaus einen Ruf haben. Am Marktplatz steht auch der figurenreiche Fischbrunnen. In den Straßen dahinter drängen sich die Fachwerkhäuser, auch Tore und Türme der Befestigungsanlagen haben sich erhalten.

SEITE 72: *Beilstein* ist ein Weinstädtchen im Kreis Heilbronn, das sich ein altertümliches Gesicht bewahrt hat. Unter den schönen Giebelhäusern fällt besonders das Rathaus auf. Nahebei liegt erhöht die Ruine der Burg Hohenbeilstein, die ihres hohen Bergfrieds wegen auch Langhans genannt wird. Sie bietet eine schöne Aussicht auch auf die weitere Umgebung.

SEITE 73: Im Remstal, dessen Weine im ganzen Schwabenland geschätzt werden, liegt das hübsche Städtchen *Schorndorf.*

jects into the market place, was built by Balthasar Neumann in 1748 (today it houses the provincial court).

PAGE 70: *Neresheim* at the eastern end of the Swabian Mountains obtained fame through the Benedictine monastery which overlooks the town. The church, which is the last piece of work executed by Balthasar Neumann, dates back to 1745. The artistic concept of the church is very harmonious as a whole entity. No fewer than seven domes are disposed along the nave and short transept. Since the master died before completion, the technical execution of his plans had to be left to others. In some parts, wood was used instead of stone. This led, in the course of time, to severe decay. Repeated restorations were only a temporary solution. In 1966 the church had to be closed to the public. In the meantime, exploitation of all manner of modern building and restoration methods have enabled the responsible authorities to carry out such a radical reconstruction that the original splendour of the church can once again be admired by the public.

PAGE 71: *Schwäbisch Hall* lent its name to the German coin named the "Heller" (= penny). The city, rich in tradition, was the former mint of the old German Reich. It still is one of the most elegantly beautiful German cities. Evidence of this is to be found in the late baroque town hall on the west side of the market place (photo) which was completed in 1735. Furthermore, one can also admire here the church of St. Michael with its large outside terraced staircase and a row of patrician houses, one more beautiful than the other. It is not so surprising to learn then that this square serves as a stage for outdoor plays and festivals which draw visitors not only from Germany.

PAGE 72: *Beilstein* is a small wine-growing town in the district of Heilbronn which has managed to rescue its mediaeval facade for posterity. Amongst the many timber-framed houses the town hall is, perhaps, the most noteworthy. Not far away one can see the ruins of Hohenbeilstein Castle which received the name "Langhans" (= "Long John") on account of the high belfry. It offers a good vantage point for a panorama of the surrounding countryside.

PAGE 73: In the Rems Valley, from where one of the best Swabian wines comes, lies the picturesque little village of *Schorn-*

PAGE 70. *Neresheim* au bord est de la chaîne de montagnes Schwäbische Alb est (depuis 1106) dominé par l'abbaye bénédictine remarquablement située sur un plateau au-dessus de la ville. Sur l'emplacement de l'abbatiale médiévale l'église actuelle St-Ulrich a été édifiée à partir de 1745 (dessins de Balthasar Neumann, sa dernière œuvre, une des plus belles réussites du baroque allemand). Après la mort de l'architecte (1753) on a changé des détails de la construction et surtout de la décoration intérieure. On a employé du bois au lieu de pierres, ce qui a causé des dégâts. En 1966 l'église fut fermée par la police des constructions. Pendant les dernières années l'église a été reconstruite et elle peut être visitée. C'est une réalisation magistrale et fastueuse du baroque.

PAGE 71. *Schwäbisch Hall* a été édifié sur l'emplacement d'un ancien village celtique. Les Celtes y exploitaient déjà le sel (3e siècle). (Hall veut dire sel !) Plus tard la ville a donné son nom à la monnaie Heller. Schwäbisch Hall séduit par son patrimoine médiéval à peine diminué (droit municipal de 1156 conféré par l'empereur Frédéric Barberousse). A retenir parmi ses nombreux monuments : l'hôtel de ville (baroque tardif) bordant la ravissante place du Marché (édifié 1730/35), l'église paroissiale St-Michel voisine (noyau roman du 12e siècle incorporé à la construction gothique), plusieures maisons patriciennes et hôtels particuliers anciens. La place du Marché (illustration) est la scène des pièces de théâtre de plein air bien renommées dans le monde. On y trouve un ensemble homogène et pittoresque de maisons à pans de bois serrées, qui bordent les rues et les venelles, de murailles, de tours fortes et de portes fortifiées.

PAGE 72. *Beilstein* est une petite ville de vignobles dans le district Heilbronn, qui a conservé son aspect moyenâgeux : nombreuses maisons anciennes, à signaler particulièrement l'hôtel de ville. Beilstein est dominé par les vestiges du château fort Hohenbeilstein, nommé Langhans à cause de son beffroi puissant. On y jouit d'une belle vue panoramique sur les environs.

PAGE 73. Dans la vallée Rems, dont les vins sont estimés dans le pays Souabe, se trouve la petite ville charmante *Schorndorf*, qui s'étale, prospère autour de sa ravissante place du Marché. Au milieu des anciennes maisons à pans de bois (à signaler particulièrement la pittoresque

Der schmucke Martkplatz sucht seinesgleichen. Inmitten von schönen alten Fachwerkhäusern steht der mit Blumen verzierte Fischbrunnen aus der Zeit des Rokoko. In Schorndorf erblickte 1834 Gottlieb Daimler das Licht der Welt, der ein halbes Jahrhundert später seinen ersten Motorwagen vorführte.

SEITE 74: *Kirchberg an der Jagst* ist eine der kleinen Städte am Oberlauf des Flusses, deren Bedeutung in der Vergangenheit ihnen einen heute noch klingenden Namen eingetragen hat. Es liegt auf einer inselartig umflossenen Höhe und besitzt eine Wehrmauer mit Brücke, Tor und Türmen. Das Renaissanceschloß war einst Residenz der Hohenloheschen Herren.

SEITE 75: *Großcomburg* unweit Schwäbisch Hall ist eine Klosteranlage des Benediktinerordens, die eine vom Kocher umflossene Höhe deckt. Der begrenzte Raum des ovalen Plateaus zwang zu wohlüberlegter Gliederung der um die große Kirche gelagerten und von einer turmbewehrten Mauer umzogenen Klostergebäude. Die Kirche beherrscht die Höhe. Sie wurde erstmals im 11. Jh. erbaut, dann im 12. und 13. Jh. ergänzt. Ein barocker Neubau hat Teile des romantischen Baus übernommen, darunter die Türme. Berühmt ist die Ausstattung der Kirche; die bedeutendsten Stücke sind ein Antependium aus vergoldetem Kupfer von 1139 und der riesige Radleuchter aus der gleichen Zeit.

SEITE 76: *Neuenstein* ist die ehemalige Residenz der Grafen von Hohenlohe. Glanzstück der kleinen Stadt ist das Schloß, ein Renaissancebau (1565), der an französische Schlösser dieser Zeit erinnert. Vollendet wurde die heutige Anlage im frühen 17. Jh. Kennzeichnend sind die hohen, schmucken Giebel und die starken Ecktürme, deren einer als Bergfried angelegt ist.

SEITE 77: Das ehemalige Zisterzienserkloster *Schöntal* im unteren Jagstgrund hat eine 800jährige Geschichte. Die zweitürmige Klosterkirche allerdings, die an der Stelle älterer Bauten errichtet wurde, entstand erst im frühen 18. Jh. nach Plänen von Leonhard Dientzenhofer. Das Innere der Kirche wurde im Sinn der Zeit prächtig ausgestattet. Hervorzuheben ist auch das Treppenhaus des Abteigebäudes, dessen reich geschmückte und kunstvoll gegliederte Läufe Bewunderung verdienen. Das Kloster wird von einer Mauer um-

dorf. One would have to search far and wide for a neater market place. Surrounded by beautiful old timber-framed houses there stands a fish pond in Rococo style decorated with flowers. It was in Schorndorf that Gottlieb Daimler was born in 1834. Half a century later this famous man demonstrated to an astonished public the first motor-car, and thus proved that Swabia can turn out not only important poets and intellectuals but also ingenious technologists.

PAGE 74: *Kirchberg on the Jagst* is one of the small towns on the upper course of the river whose importance in the past still lends their names a dignified reputation today. It lies on a peninsular hill surrounded by the river and has a defence wall with bridge, gate and towers. The renaissance castle was at one time the residence of the Hohenlohe lords.

PAGE 75: *Grosscomburg*, which is located not far from Schwäbisch Hall, is a monastic settlement of the Benedictine Order perched high up on a rock surrounded by the river Kocher. The modest space available on the oval plateau obliged the architect to give careful thought to the arrangement of the monastery buildings grouped around the large church and enclosed by the turreted wall. Nevertheless, the church still dominates the valley. It was started in the 11th century and supplemented in the 12th and 13th centuries. A later Baroque section replaced parts of the original Romanesque structure, including the spires. Certain items in the inventory are famous, the most important being the antependium of gold-plated copper (1139) and the enormous wheel-shaped chandelier (also dating from this period).

PAGE 76: *Neuenstein* is the former residence of the Grafen von Hohenlohe. The most impressive building in the small town is the castle, a Renaissance construction (1565) which is reminiscent of French palaces from this period. The present premises were completed in the early part of the seventeenth century. Characteristic features are the high, decorated gables and the stout angle-turrets, one of which is fashioned as a belfry.

PAGE 77: The former Cistercian monastery *Schöntal,* in the area of the lower Jagst, has an 800-year-old history. The twin-steepled monastery church, however, which was erected on the site of older buildings, was only created in the early

pharmacie 1665/96) se trouve la Fontaine aux Poissons (rococo), ornée de fleurs. A retenir parmi les monuments de la ville : l'église paroissiale (15e siècle, voûtes réticulées). Gottlieb Daimler, l'inventeur de la première automobile, est né à Schorndorf (1834).

PAGE 74. *Kirchberg sur la Jagst,* une petite ville pittoresque, est le produit de l'antique terroir culturel qu'est la vallée de la Jagst Supérieure, remarquablement située sur un promontoire rocheux. C'est un riche ensemble féodal fort bien conservé encore ceinturé de murailles fortes, flanqué de tours-bastions, seulement accessible par une porte et un pont. Le palais de résidence des seigneurs de Hohenlohe est une construction de la Renaissance.

PAGE 75. *Grosscomburg* non loin de Schwäbisch Hall est une abbaye bénédictine remarquablement située sur un promontoire rocheux pittoresquement blotti dans une boucle de la Kocher. Les édifices serrés ont été ceinturé par des murailles fortes que défendent ses formidables tours-bastions. l'église conventuelle (fondée au 11e siècle, plusieurs remaniements et extensions aus 12e et 13e siècles) domine la hauteur.
L'église actuelle est un édifice baroque avec incorporation de parties romanes (les tours), décoration intérieure de haute valeur artistique ; célèbres trésors : un pendentif de cuivre doré de 1139 et le chandelier en forme de roue du même temps.

PAGE 76. Le château *Neuenstein* (à partir d'un castel d'eau moyenâgeux du 13e siècle) est depuis le 13e siècle une possession des ducs (et princes) de Hohenlohe, amenagé en bâtiment de style Renaissance (1565), ressemblant un peu aux châteaux français de cette époque ; transformations au 17e siècle. A signaler particulièrement : les puissantes tours (un beffroi), les frontons richement ornementés et la salle de l'empereur avec ses voûtes réticulées (vers 1560).

PAGE 77. L'ancien couvent des cisterciens *Schöntal* dans la vallée inférieure de la Jagst a été fondé en 1157, transformations considérables de 1683 à 1732, architecte en chef : J. Leonhard Dientzenhofer (dessins) – splendides intérieurs : maître-autel, fresques du plafond, plaques commémoratives (pierre tombale du célèbre Götz v. Berlichingen avec son symbole la main de fer !). La nouvelle abbaye fut aussi édifiée par J. L. Dientzenhofer. La

schlossen, in die der abgebildete mächtige Torturm einbezogen ist.

SEITE 78: Bemerkenswerte Bauten in *Öhringen* sind das Schloß der Fürsten zu Hohenlohe-Öhringen aus dem 17. Jh., das heute Rathaus der Stadt ist, und die ehem. Stiftskirche St. Peter und Paul, eine spätgotische Hallenkirche, die in der 2. Hälfte des 15. Jh. anstelle eines romanischen Vorgängerbaus errichtet wurde. Als Grablege der Hohenloheschen Herren besitzt die Kirche mehrere kunstvolle Grabdenkmäler. In der Krypta befindet sich der schöne Adelheid-Sarkophag, der die Gebeine der Mutter Kaiser Konrads II. birgt, des ersten salischen Kaisers.

SEITE 79: Das altertümliche Städtchen *Gundelsheim* am Neckar wird überragt vom Deutschordensschloß Horneck, einem schweren Bau mit zwei Binnenhöfen und viereckigem Bergfried. Es stammt aus dem 16. Jh. und wurde im 18. Jh. ergänzt. Zu Füßen der Burg wurde eine Ringmauer angelegt, die mit mehreren Rundtürmen verstärkt ist.

SEITE 80: *Bad Mergentheim* im Taubertal hat heute als Kurort einen bekannten Namen. Aber seine Bedeutung erschöpft sich nicht in den Vorzügen einer Badestadt. So war Mergentheim von 1527 bis 1806 Residenz des Deutschen Ritterordens, der sich um die Mitte des Jahrtausends aus dem Osten zurückgezogen hatte. Dieser Rang beeinflußte das Gesicht der Stadt entscheidend. Aber nicht nur das Schloß trägt einen markanten Zug zu diesem Bild bei, sondern nicht weniger die bürgerlichen Bauten jener Zeit, so das Rathaus von 1564, der Marktbrunnen, die klare Führung der Straßen – kurzum: Bad Mergentheim bietet infolge seiner vielseitigen Struktur ein nicht wiederholbares Stadtensemble.

SEITE 81: Zwischen Tauberbischofsheim und Wertheim liegt im Taubertal die romantische *Gamburg*, deren kubusartiger Bergfried das alte Gemäuer überragt. Ein massives, mit Türmen bewehrtes Tor schützt den Zugang, und an der Straße, die unten vorbeiführt, hält ein dicker Turm mit spitzem Helm die Wacht.

SEITE 82: Die alte Brücke bei *Unterregenbach* an der Jagst, nahe Langenburg, wurde im frühen 19. Jh. gebaut. Auf An-

18th century according to plans drawn up by Leonhard Dientzenhofer. The inside of the church was, in keeping with the times, magnificently fitted out. Warranting special attention is the entry hall in the abbey whose richly adorned and artistically arranged hand rails merit admiration. The monastery is enclosed by a wall in which the mighty gate tower, which we see illustrated here, is incorporated.

PAGE 78: Noteworthy buildings in *Öhringen* are the castle of the Prince of Hohenlohe-Öhringen, dating back to the seventeenth century – today it is the town hall – and the former Cathedral of St. Peter and Paul, a late Gothic structure, which was erected in the second half of the fifteenth century on the site of a Romanesque building. As the place of burial of the Hohenlohe gentry, the church contains many interesting tombstones.

PAGE 79: The charming old town of *Gundelsheim* on the Neckar is overlooked by Horneck Castle of the Teutonic Order, a massive fortress with two interior courts and square belfry. It dates back to the 16th century and was extended in the 18th. At the foot of the castle, a circular wall was erected with several round towers at intervals.

PAGE 80: *Bad Mergentheim* in the valley of the Tauber is known today as a spa. Its importance is not only based on its medicinal waters but can also look back on a rich history. From 1527 until 1806, Mergentheim was the residence of the Teutonic Order which had withdrawn from the Orient around the middle of the 16th century. Such a position influenced, of course, the exterior appearance of the town. One can find signs of this period not only in the castle, as expected, but also in the substantial civic buildings dating from this time, for example, in the town hall (1564), the market place fountain and in the clear layout of the streets.

PAGE 81: In the valley of the Tauber, between Tauberbischofsheim and Wertheim, lies romantic *Gamburg* whose cube-shaped belfry dominates the old walls. A massive gate crowned with towers guards the entrance and, on the road which passes below, a stout tower with a pointed "helmet" stands sentinel.

PAGE 82: The old bridge near *Unterregenbach* on the Jagst (in the neighbourhood of Langenburg) was built in the early part

faîte en est la célèbre cage d'escalier de haute valeur artistique. Le couvent est ceinturé d'une muraille – voilà une puissante porte fortifiée.

PAGE 78. Les monuments les plus remarquables de la petite ville *Öhringen* sont : le château (édifié en 1612, dessins de G. Kern, délicate et fine décoration intérieure de 1714 et de 1781, ancienne possession des ducs de Hohenlohe-Öhringen), aujourd'hui hôtel de ville et la puissante église collégiale St-Pierre et St-Paul (type halle, gothique tardif, bâtie au 15e siècle sur l'emplacement d'une église romane). Voici quelques-unes de ses richesses : le maître-autel, des sommets de la statuaire et de la sculpture, des vitraux fameux et les caveaux des seigneurs de Hohenlohe (16e – 18e s.) et dans la crypte le tombeau de la mère de l'empereur Conrad II, Adelheid (1241).

PAGE Page 79. La petite ville chargée d'histoire *Gundelsheim* sur le Neckar est dominée par le château de l'ordre teutonique Horneck, une construction puissante avec deux cours et un beffroi carré, édifié au 16e siècle, extensions considérables au 18e siècle. Le château est ceinturé de murailles fortes flanqués de tours-bastions rondes.

PAGE 80. *Bad Mergentheim* dans la vallée de la Tauber, station de la « Route Romantique », est aujourd'hui une belle station climatique et une ville d'eaux. De 1527 jusqu'à 1806 Mergentheim était la résidence de l'ordre teutonique. Le château de Mergentheim, construit en 1565/70 a partir d'un castel d'eau moyenâgeux, est dès le 13e siècle une possession de l'ordre teutonique (aujourd'hui musée folklorique). Des rangées de belles maisons bordent l'avenante place du Marché, où se trouve l'hôtel de ville (1564) et la Fontaine du Marché. Les structures de la ville sont très régulières ; avec le rectiligne alignement des façades est Bad Mergentheim une petite ville d'un aspect pittoresque.

PAGE 81. Entre Tauberbischofsheim et Wertheim dans la vallée romantique de la Tauber se trouve le château fort pittoresque *Gamburg* avec un beffroi carré dominant l'ensemble féodal. Une porte fortifiée garde l'accès au château. Auprès de la route au-dessous de la forteresse se trouve une tour puissante.

PAGE 82. L'ancien pont près du village *Unterregenbach* sur la Jagst non loin de

läufen aus Stein aufliegend verbindet sie die beiden Ufer der Jagst durch einen aus Holz gezimmerten, gedeckten Gang.

SEITE 83: Wer die Romantische Straße gemächlich durchfährt, trifft bald nach Bad Mergentheim auf das hohenlohesche Städtchen *Weikersheim,* dessen großzügiges Fürstenschloß fest mit dem Ort verwachsen ist. Die prächtigen Giebel, die die breite zum Park gerichtete Front gliedern, deuten auf die Renaissance als Entstehungszeit. Bedeutendster Raum des Schlosses ist der Rittersaal mit seiner herrlichen Kassettendecke. Nicht minder eindrucksvoll als das Schloß selbst ist der Anfang des 18. Jh. angelegte Barockpark mit reichem plastischem Schmuck und einer zweiflügeligen, säulengegliederten Orangerie.

SEITE 84: Das Benediktinerkloster *Blaubeuren* liegt unmittelbar neben dem berühmten Blautopf, dem Quelltopf der Blau, dessen Besonderheit seine Farbe ist – Mörike hat ihn in der „Historie von der schönen Lau" beschrieben. Das ehemalige Kloster, das seit langer Zeit einem evangelisch-theologischen Seminar Heimat bietet, wurde bereits 1100 von Hirsau aus gegründet. Vierhundert Jahre später wurde ein Neubau errichtet, der das Kloster und seine Kirche (rechts im Bild) eng zusammenschließt. Die Kirche ist ein Meisterwerk spätgotischer deutscher Baukunst. Auch ihre Ausstattung ist meisterhaft, voran die Hochaltar, an dem die besten Künstler ihrer Zeit gearbeitet haben; das schöne Chorgestühl stammt vom Ulmer Bildschnitzer Jörg Syrlin d. J.

SEITE 85: Die Donauquelle im Schloßpark von *Donaueschingen* wurde im vorigen Jahrhundert von Weinbrenner künstlerisch gestaltet. Adolf Heer schuf 1896 die Marmorgruppe „Mutter Baar schickt die junge Donau auf den Weg nach Osten". Das Wasser der Donauquelle wird in die Brigach geleitet, die nach der Aufnahme der Breg den Namen Donau trägt. Das zunächst recht idyllische Flüßchen durchfließt die Landschaft Baar. Aber bereits bei Immendingen, knapp dreißig Kilometer weiter, versickert der Fluß fast vollständig im Kalkgestein. Versuche haben erwiesen, daß das verschwundene Wasser als Aachquelle nahe Singen am Hohentwiel wieder erscheint und über den Bodensee den Rhein erreicht. Die eigentliche Donau aber wächst erst von Fridingen an zu dem Fluß, der quer durch Europa zum Schwarzen Meer führt.

of the 19th century. Resting on foundations of stone, the wooden, roofed-over structure connects up the two banks of the Jagst at an important point.

PAGE 83: Anyone who takes a leisurely drive along the "Romantic Road" will, shortly after he leaves Bad Mergentheim, come across the little Hohenlohe town *Weikersheim* whose generously built princely castle has grown up closely with the town. The magnificent gables forming the broad frontage which faces onto the park indicate that they date back to the Renaissance. The most important room in the castle is the Knights Hall with its tremendous coffered ceiling. No less impressive than the castle itself is the baroque park laid out at the beginning of the 18th century with its richly decorative sculpture and a two-winged orangery with pillars.

PAGE 84: The *Blaubeuren* Benedictine monastery is situated immediately beside the famous "Blautopf", the deep source of the river Blau. The spring draws its name from the remarkable blue colour. Mörike describes it in his "Historie von der schönen Lau". The former monastery, originally founded by monks from Hirsau in 1100, has housed an evangelical theological seminar for many years. Four hundred years later a new building was erected which joined up the monastery and its church (on the right in the photograph). The church itself is a masterpiece of late gothic German architecture.

PAGE 85: The source of the Danube River in the park of *Donaueschingen* castle was architecturally designed by Adolf Weinbrenner in the last century. The marble group entitled "Mother Baar Sends the Young Danube on Her Way to the East" was executed by Adolf Heer in 1896. The water of the Danube is channeled into the Brigach River which, after receiving the waters of the Breg, changes its name into Danube. The initially very idyllic riverlet runs through the Baar region, but some 30 kilometers further away, near Immendingen, it seeps almost completely into the limestone and disappears. Research has proven that this water reappears as the source of the Aach River near Singen on the Hohentwiel Mountain again, reaching Lake Constance by way of the Rhine. It is not until it reaches Fridingen that the Danube becomes the Danube proper.

Langenburg lie les deux rives de la Jagst. Il a été construit (au commencement du 19e siècle) de bois avec une substruction de pierres.

PAGE 83. Celui qui voyage sur la « Route Romantique » arrive immédiatement après Bad Mergentheim à la petite ville sommeillante *Weikersheim,* ancienne possession des princes Hohenlohe, dont le vaste château est le centre de la ville (style Renaissance). La chambre la plus importante du château c'est la salle des chevaliers avec son précieux plafond. Le château se trouve au milieu d'un splendide parc de style baroque créé en 1709 avec des statues et une orangerie à deux ailes (édifiée en 1719).

PAGE 84. L'ancienne abbaye *Blaubeuren* fondée par les bénédictins de Hirsau vers 1100 e été remaniée en 1491/99 par P. von Koblenz en bâtiment gothique, aujourd'hui l'édifice est un séminaire. L'église conventuelle est une réalisation magistrale du gothique tardif allemand, décoration intérieure de haute valeur artistique : le maître-autel (1493) et le chœur finement articulé avec les sièges crées par le sculpteur sur bois venu de la ville Ulm Jörg Syrlin le Jeune, des joyaux d'art allemand ancien.

PAGE 85. La source du Danube dans le parc du château *Donaueschingen* fait partie de nombreux et gracieux motifs de jardin (œuvre de Weinbrenner). Adolf Heer a crée les statues de marbre célèbres : « Mère Baar envoie la jeune ondine Danube vers l'Orient ». L'eau de la source du Danube est conduite dans la Brigach, qui prend le nom Danube au confluent de la Brigach et de la Breg. Le jeune fleuve arrose la région de Baar, mais près d'Immendingen, à peine trente kilomètres plus lion, le fleuve disparaît complètement dans les rochers de chaux. Des expériences ont montré, que l'eau disparue revient près de Singen aux environs du Hohentwiel en sa qualité de source de l'Aach, qui se jet dans le lac de Constance et indirectement dans le Rhin. Le vrai Danube commence à Fridingen et devient lentement le grand fleuve, qui traverse L'Europe jusqu' à la Mer Noire.

PAGES 86,88. Le Danube, le plus grand fleuve de l'Europe, s'encaisse plusieurs fois heurtant contre les parois des rochers. La première trouée est celle du Jura Souabe non loin de Beuron. La percée du Danube est une chose digne d'être vue, cadre et atmosphère romantiques.

SEITE 86, 88: Die Donau, der große Strom Europas, muß immer wieder Hindernisse überwinden. Zu den ersten zählt der Schwäbische Jura, der bei Beuron durchbrochen wird. Das romantische Bild, das Strom und Fels in grauer Vorzeit geschaffen haben, hat seinen Reiz nie verloren. Säumen drunten im Tal schmucke Dörfer den Fluß, so halten oben auf blankem Fels Burgen wie *Werenwag* (SEITE 88) und Wildenstein Wacht. Rechts der Blick von der Burg Werenwag auf das Dorf *Hausen im Tal* (SEITE 86) am Lauf der jungen Donau.

SEITE 87: In vielfachen engen Windungen schafft sich die junge Donau einen Durchbruch durch die schroffen Jurakalkfelsen der Schwäbischen Alb. Eingebettet in die große Flußschlinge am Anfang des Durchbruchs liegt Kloster *Beuron*, ursprünglich ein Augustinerchorherrenstift, das im 19. Jh. von Benediktinern zu neuer Bedeutung geführt wurde.

SEITE 89: Das Donaustädtchen *Riedlingen* zeigt ein freundliches, altertümliches Gesicht. Die Giebelvielfalt, die wir vom Wasser aus sehen, deckt manches schöne Haus. Teile der alten Stadtmauer stehen noch nahe dem Wehr. Das Rathaus ist ein mächtiger gotischer Bau mit Staffelgiebeln; die Alte Kaserne, ein großer „Kornkasten" von 1686, ist das schönste der zahlreichen Fachwerkhäuser; das ehem. Spital hat das Heimatmuseum mit schöner bäuerlicher Kunst aufgenommen. Die Pfarrkirche St. Georg vereinigt eine moderne Altarausstattung mit spätgotischen Bildwerken.

SEITE 90: *Sigmaringen* ist heute wie gestern eine heimelige, liebenswürdige Residenzstadt, deren Häuser immer noch die dem einstigen Hofhutmacher, Hofschuhmacher oder Hofbüchsenmacher verliehenen fürstlichen Wappen schmücken. Die große Attraktion aber ist das hoch über Stadt und Donau gelegene Schloß, ein prächtiger Bau mit Stilmerkmalen vieler Generationen. Ein Gang durch das Schloß zeigt vielfältige und kostbare Sammlungen von Bildern und Gobelins, Waffen und Trophäen, Möbeln und Kunsthandwerk.

SEITE 91: Die Klosterkirche *Zwiefalten* an den südlichen Ausläufern der Schwäbischen Alb entstand 1738/65 anstelle eines abgerissenen romanischen Baues. Es ist die Zeit, in der allenthalben ältere Kirchen und Klosteranlagen den Ambi-

PAGES 86/88: The Danube, one of Europe's great rivers, which meanders through many countries from the Black Forest to the Black Sea, has to surmount many obstacles. Among the first ones, on German soil, is the Swabian Jura, which is broken through at Beuron. This romantic picture, created by river and rock in remote antiquity, has never lost its charm. While villages down in the valley decoratively fence in the river, the sheer rock castles such as *Werenwag* (Page 88) and Wildenstein stand guard. On the right, we have a view from Werenwag castle of the village *Hausen im Tal* (Page 86) on the banks of the Upper Danube.

PAGE 87: Following a tortuous course of many bends, the "youthful" Danube forces its way through the rugged limestone cliffs of the Swabian Alb. Nestling above a loop of the Danube, shortly before the river breaks through the Jura, lies the *Beuron Monastery*, originally an Augustinian settlement which was lent new significance by Benedictine monks in the 19th century.

PAGE 89: The small Danube town of *Riedlingen* presents to the visitor a friendly, medieval face. When viewed from the river, most of the houses seem to have attractive gabled facades. Parts of the city walls are still standing in the neighbourhood of the weir. The town hall is a large gothic building with gables arranged in echelons. The "Alte Kaserne", a large "Corn Bin" dating back to 1686, is the most beautiful of the countless framework buildings.

PAGE 90: *Sigmaringen* is today, just as much as yesterday, a cosy, charming town, whose houses are still adorned with the sovereign coat of arms conferred on the one-time court hatter, court shoemaker, or court armourer. The great attraction however, is the castle, which towers high above the town and the Danube. It is a magnificent construction with characteristics of style of many generations.

PAGE 91: The monastery of *Zwiefalten*, situated on the southern slopes of the Swabian Mountains, was built between 1738 and 1765 on the site of an earlier Romanesque building. This was around the time when many older churches and monastery grounds had to make way for a generation given to pomp and splendour. The new edifice is the work of the

Des villages pittoresques bordent le fleuve dominés par les châteaux forts remarquablement situés sur des promontoires rocheux : *Werenwag* (PAGE 88) et Wildenstein. Du château fort Werenwag on a une belle vue sur le village *Hausen im Tal* (PAGE 86) au bord du jeune Danube.

PAGE 87. En se serpentant à travers les montagnes rocheuses du Jura le Danube perce les parois des rochers tombant à pic de la chaîne de montagnes Schwäbische Alb. Pittoresquement blotti dans la grande boucle du Danube au commencement de la percée l'abbaye *Beuron* est remarquablement située. L'ancien couvent des chanoines Augustins est aujourd'hui l'abbaye St-Martin et Marie (considérables transformations au 19e siècle).

PAGE 89. *Riedlingen* est une petite ville moyenâgeuse, digne d'être connue : nombreuses maisons anciennes, encore ceinturé de murailles fortes. Nous voyons des rangées de belles maisons au bord du Danube. L'hôtel de ville gothique est caractérisé par son fronton à l'étagement. Le grand grenier « Kornkasten » (1686) est un bel échantillon des maisons à pans de bois. L'ancien hôpital est aujourd'hui siège du musée folklorique (art rustique magnifique). L'église paroissiale St-Georges contient des statues de l'époque gothique tardif, apports modernes.

PAGE 90. *Sigmaringen* est restée une ville résidentielle charmante, dont les vieilles et pittoresques maisons sont ornées des blasons des anciens fournisseurs de la cour : des chapeliers brevetés, des cordonniers brevetés et des armuriers. La marque distinctive de la ville c'est le château dominant la ville tant sur le plan du site que sur celui de l'importance (mentionné la première fois en 1077), fréquentes transformations et restaurations – extensions considérables aux 18e et 19e siècles, aujourd'hui musée (fondé par le prince Carl Anton von Hohenzollern) : On y peut faire l'inspection des peintures précieuses, des gobelins, des armes (15e - 19e s.), des trophées, des meubles et des objets des arts et des métiers.

PAGE 91. L'église abbatiale *Zwiefalten* aux bords méridionals de la chaîne de montagnes Schwäbische Alb est une imposante construction de l'époque baroque, édifiée sur l'emplacement d'un bâtiment roman, une œuvre du célèbre architecte Johann Michael Fischer de Munich (1738/65) qui a construit 32 églises et 23 couvents. Zwiefalten est une réalisation

tionen einer prachtliebenden Ära weichen mußten. Der Neubau ist ein Werk des Müncheners Joh. Mich. Fischer, der nicht weniger als 32 Kirchen und 23 Klöster gebaut hat. Zwiefalten ist ein Kleinod der Baukunst seiner Zeit. Die Kirche mit ihren zwei schlanken Türmen, mit dem geschwungenen Giebel, den kräftigen Säulen, erhebt sich über die weitläufigen Klostergebäude und gehört untrennbar zur umgebenden Landschaft.

SEITE 92/93: Zu den markantesten deutschen Städtebildern gehört der Blick über die Donau auf *Ulm,* dessen Münster die alte Stadt hoch überragt. Das riesige Gotteshaus, dessen Bau 1392 von Ulrich von Ensingen begonnen wurde, gehört zu den bedeutendsten Schöpfungen gotischer Baukunst in Deutschland. Der Turm wurde erst im 19. Jh., wenngleich nach alten Plänen, errichtet und ist mit 161 m der höchste gemauerte Turm der Welt. Rechts im Bild der Metzgerturm, der an die alte Stadtbefestigung erinnert. Die junge Großstadt spiegelt heute wie einst den Fleiß und die Geschicklichkeit, aber auch das Selbstbewußtsein ihrer Bürger. Sie mußte im Krieg schwerste Zerstörungen hinnehmen, bietet heute aber ein Bild harmonischer Verbindung alter mit neuer Architektur.

SEITE 94: Das Kloster *Obermarchtal* liegt über einer Donauschleife in grüner Umgebung. Die doppeltürmige Kirche überragt die Anlage. Bereits im Mittelalter gab es hier eine geistliche Gründung. 1500 wurde Obermarchtal Reichsabtei. Um die Wende vom 17. zum 18. Jh. wurde die heutige Kirche errichtet, weil der damals regierende Abt „seinem Herrn eine bessere Kirche gönnte". Sie gedieh unter dem Vorarlberger Meister Michael Thumb zu einem Meisterwerk.

SEITE 95: Die Bibliothek des Klosters *Wiblingen* bei Ulm zeichnet sich durch allen Glanz aus, der den barocken oberschwäbischen Bibliotheken eigen ist. Ein weiter Raum, meisterhaft gegliedert durch eine auf Säulen ruhende Galerie, die erst recht lebendig wird durch in den Raum hereinschwingende Balkons. Die flachgewölbte Decke trägt ein Fresko von Martin Kuen (1744). Zwischen den Säulen finden sich überlebensgroße allegorische Figuren der Wissenschaften und der Tugenden; sie werden begleitet von bezaubernd leichten Putten, von Blumenranken und dem reichen ornamentalen Schmuck der Zeit. Der ganze Raum ist ein einzigartiges Kunstwerk.

Munich architect Joh. Mich. Fischer. His tombstone in Munich Cathedral reveals to the historian that he was responsible for the plans of no fewer than 32 churches and 23 monasteries or convents. Zwiefalten is a very good example of the architecture of that time. The gabled church, crowned by two slender spires, rises well above the extensive monastery precincts and harmonizes with the surrounding countryside.

PAGES 92/93: One of the most striking pictures of German towns is this view of *Ulm* across the Danube whose cathedral dominates the old town. The huge church, construction of which was commenced in 1392 by Ulrich von Ensingen, can be numbered among the most important creations of gothic architecture in Germany. It was not until the 19th century that the steeple was erected (although it was actually based on the old plans) and, at a height of 161 m, is the highest masonry steeple in the world. On the right-hand side of the picture we can see the fool's tower, reminding us of the old town fortifications.

PAGE 94: The monastery *Obermarchtal* is situated in a green environment above a loop of the Danube. The double-spired church dominates the precinct. As early as the Middle Ages there was an ecclesiastical settlement here. In 1500 Obermarchtal became a "Reichsabtei". At the end of the seventeenth and beginning of the eighteenth centuries the present church was erected, since the abbot in office at that time wished to grant "his Lord with a more fitting place of worship". Under the guidance of the Vorarlberg mason Michael Thumb it developed into a masterpiece.

PAGE 95: The library of the *Wiblingen Monastery* near Ulm is characterized by the magnificent glitter which is so typical of many a baroque library in Upper Swabia. The first impression is a large room in which the space is well divided up by a gallery resting on columns which is lent a certain rhythm by the balconies projecting into the room. The gently domed ceiling is decorated by a fresco which is the work of Martin Kuen (1744). Between the columns there are allegory figures taken from the fields of science and philosophy. They are accompanied by delightful little putti, curling tendrils of flowers and other decorative elements so typical of the period.

magistrale et fastueuse du baroque. L'église avec ses deux tours domine le riche ensemble du couvent et elle est une marque distinctive de la région.

PAGE 92/93. Le panorama de l'ancienne ville *Ulm* au bord du Danube est dominé par la puissante cathédrale inoubliable. La cathédrale, sommet de l'architecture gothique est une magnifique et vaste construction (123,35 mètres de longeur, hauteur de la nef principale : 41,6 mètres). Une inscription dit, que la cathédrale a été fondée en 1377. Elle a été construite par plusieurs architectes (parmi eux les membres des célèbres familles Parler et Ensinger, Ulrich von Ensinger a commencé son œuvre en 1392), fréquentes restaurations. La construction de la tour n'était pas finie qu'au 19e siècle. C'est la plus grande tour d'une cathédrale (161 mètres de hauteur). A droite vous voyez la tour-bastion « Metzgerturm » qui est resté de l'enceinte de la ville. Ulm est un centre du commerce depuis le moyen âge (droit municipal de 1164). Même après les destructions de la dernière guerre mondiale Ulm est resté une ville rayonnante de gloire, où l'on trouve une combinaison harmonieuse d'architecture ancienne et nouvelle.

PAGE 94. L'ancienne abbaye *Obermarchtal* est remarquablement située sur un plateau pittoresquement blotti dans une boucle du Danube. Le couvent fut fondé la première fois au 8e/9e siècle, de nouveau au 12e siècle. Vers 1500 Obermarchtal était couvent de l'empire. Période d'épanouissement : le 17e et 18e siècle, quand la célèbre église conventuelle St-Pierre et St-Paul fut bâtie par l'architecte Michael Thumb de Vorarlberg (jusqu'à sa mort 1690) et puis par son frère Christian, remarquable ensemble baroque de l'intérieur.

PAGE 95. La précieuse salle de bibliothèque de l'ancienne abbaye bénédictine St-Martin à *Wiblingen* non loin d'Ulm est une des plus grandioses constructions de ce genre, digne d'être vue. La galérie s'appuyant sur des colonnes avance dans la salle. Entre les colonnes on admire les sculptures allégoriques des sciences et des vertus. La salle est ornée d'une précieuse décoration intérieure en style baroque avec des angelots et des guirlandes de fleurs. La fresque du plafond est de Martin Kuen (1744). C'est une réalisation magistrale et fastueuse du baroque.

SEITE 96: Man merkt es dem Stadtbild von *Biberach* auf den ersten Blick an, daß seine Bewohner fleißige und erfolgreiche Leute waren. Der Turm der spätgotischen Pfarrkirche reckt sich steil über die Dächer einer bürgerstolzen und gewerbefleißigen Stadt. Über ein halbes Jahrtausend war Biberach Freie Reichsstadt. Das schlägt sich nieder in festen, massiven Bauten. Das Neue Rathaus am Marktplatz mit seinem Brunnen trägt hohe, türmchenbesetzte Stufengiebel. Schwere Mauern, hohe Giebel, Erker und Türme kennzeichnen auch viele andere Häuser der Stadt.

SCHUTZUMSCHLAG: *Tübingen* ist seit mehr als einem halben Jahrtausend Universitätsstadt. Unzählige Generationen von Professoren und Studenten haben hier gelehrt und gelernt. Der Name der Stadt ist untrennbar verbunden mit den Namen vieler Großer des Geistes. Seit 1536 besteht das „Stift", aus dem später so bedeutende Köpfe wie Kepler, Hegel, Schelling, Mörike und Hauff hervorgingen. Auch Friedrich Hölderlin war einst Schüler des Stifts. Er verbrachte die langen Jahrzehnte geistiger Nacht im „Hölderlin-Turm" am Neckarufer (Bild), über dem sich die Alte Aula aufbaut, überragt vom Turm der Stiftskirche.

PAGE 96: The immediate impression made on the visitor by the town of *Biberach* is that the citizens were obviously industrious and successful. The spire of the late Gothic parish church towers above the roofs of a prosperous, middle-class trading town. For over five hundred years, Biberach was a "Freie Reichsstadt" (until 1806, directly responsible to the Emperor). This is reflected in the construction of substantial, massive buildings. The new town hall on the market place is crowned by high, stepped gables. In fact, the visitor will find thick walls, high gables, bay windows and turrets adorning many of the houses in the town.

JACKET: *Tübingen* has been a university town for more than 500 years. Countless generations of professors and students have taught and learnt there. The name of the town is inseparably linked with that of many great minds. Since 1536 the "Stift" has been in existence from which later such talented people such as Kepler, Hegel, Schelling, Mörike and Hauff issued. Friedrich Hölderlin was at one time also a foundation scholar. He spent the long decades of intellectual raving in the "Hölderlin-tower" on the banks of the Neckar above which rises the Old Great Hall, itself overlooked by the steeple of the foundation church.

PAGE 96. *Biberach* est une vieille ville chargée d'histoire, ancienne ville libre impériale. Monuments bien conservés de l'époque médiévale : tours, la porte d'Ulm, l'imposante église paroissiale St-Martin (gothique tardif, 14e/15e siècle, grandiose décoration intérieure baroque). Autour d'une avenante place du Marché avec une fontaine on admire des rangées de belles maisons, le nouveau hôtel de ville avec ses pignons à l'étagement. Des frontons avec des fenêtres en saillie sont caractéristiques pour l'architecture de la ville.

PHOTO DE COUVERTURE : *Tübingen,* ville universitaire depuis 1477, est un centre culturel et commercial, mentionné la première fois en 1078.
D'innombrables générations d'étudiants et de professeurs y ont vécu. La ville est surtout connue pour la fondation (« Stift ») depuis 1536. Les hommes célèbres Kepler, Hegel, Schelling, Mörike et Hauff y ont été instruits. – Fr. Hölderlin, qui était un étudiant de la fondation, vivait longtemps (1806 – 43) troublé dans une tour (nommé la « Tour Hölderlin ») auprès du Neckar (image). Au fond de l'image nous voyons l'église collégiale St-Georges (caveau du célèbre duc de Württemberg Eberhard « avec la barbe », † 1496) et l'ancienne salle des fêtes (« Alte Aula »).

FOTOGRAFEN Friedrich Bormann/Kinkelin, Worms 43, 54/55, 62, 89 Dieter Geissler, Stuttgart 33, 59, 94 Lothar Kaster, Haan 2/Rhld. 34 Peter Klaes, Radevormwald 38, 39, 51, 56, 60/61, 66, 68, 73, 90, 92/93 Peter Klaes/Kinkelin, Worms 35 Gerhard Klammet, Ohlstadt 36/37, 40, 41, 48, 50, 52/53, 76, 81, 84 Luftbild Klammet & Aberl, Germering b. München 46, 67, 69, 70 Foto Löbl-Schreyer, Bad Tölz 64, 96 Manfred Mehlig/Kinkelin, Worms Schutzumschlag, 78 Fritz Pahlke, Speyer 74 Fritz Pahlke/Kinkelin, Worms 49 C. L. Schmitt, München 42, 63, 65, 77, 83, 85, 86, 88, 91 Toni Schneiders, Lindau 47, 57, 58, 71, 72, 75, 79, 80, 82, 87, 95 Fred Wirz/Kinkelin, Worms 44/45 *Luftbild-Freigabenummern:* Luftbild Klammet u. Aberl: freigeg. Reg. v. Obb. Nr. G 43/699 (46), Nr. 43/757 (67), Nr. G 43/687 (69), Nr. 42/282 (70)